メモで、あなただけのアウトプットが自然にできるようになる

TAKE NOTES!

Sönke Ahrens

ズンク・アーレンス

訳＝二木夢子

How to take smart notes

日経BP

書かないかぎり体系的に考えることはできない

(Luhmann, 1992)

HOW TO TAKE SMART NOTES
by Sönke Ahrens

Contents 目次

Chapter 04

Chapter 05

Chapter 06

Chapter

07

凡例

- 〔 〕内は訳注。原注は数字を振り、巻末に記載。
- 邦訳の引用文は、原文のテキストを参照して、訳者が手を加えている場合が多い。

［はじめに］

誰にとっても、書くことは生活の一部になっています。
日々の暮らしのなかでは、何かを書かなければいけないときがたくさんあります。

たとえば、
自分の考えを整理するとき。
誰かとアイデアを交換するとき。
アイデアや引用や研究の成果など、何かを覚えておく必要があるとき。
テストを受けるとき。

私たちは、書かないと覚えられないと不安になったときや、書いて記憶に刻みこもうとするときには、筆を走らせます。あらゆる知的な試みは書くことから始まるのです。

このように、書くことは学習や研究、仕事で中心的な役割を果たします。
それにもかかわらず、私たちは書くことに驚くほど無頓着です。書き方が話題になるのは、ほとんどの場合、書籍や記事のようなまとまった文章や、学生なら論文やレポート等の提出物といった、特別な状況がきたときにどう書くかを考えだします。

これは一見すると当然に見えます。書籍や論文の執筆は最も不安に陥りやすい作業といえますし、長期間にわたって苦しむからです。そのため、研究者や学生向けの指南書でもこうした大作を書くことをテーマにしがちで、私たちが毎日大量に書くメモの取り方について教えてくれるものは、ほとんどありません。


書き方をテーマにした書物はだいたい2種類に分類できます。

ひとつは、文体、文の構造、引用のしかたなど、体裁について説明するもの。

もうひとつは、ストレスに負けずに最後まで書きつづける方法や、出版社や指導教官にしめきりを延ばすことを断られる前に原稿を仕上げる方法といった、心理面について説明するものです。

両者に共通するのは、まっさらな画面や紙のうえで書きはじめるという点です。[*1] しかし、白紙から始めると、肝心な部分を無視する羽目になります。

そうならないようにするための解決法が、メモをうまくとることです。

メモを無視するような書き手は、どんな原稿でも構成を改善すれば差がつくことをわかっていません。

ものを書くプロセスは、まっさらな画面や紙に向かうはるかに前から始まっています。自分の主張を実際に書き記す作業は、論旨の展開の最もささいな部分にすぎません。

このギャップを埋め、思考や発見を説得力のある文章に効率的に変換し、賢いメモという財産を蓄積していく方法を伝えるのが、本書の目標です。

貯まったメモを使うと、書くだけでなく、長きにわたって学ぶことや新しいアイデアを生み出す作業も簡単で楽しいものになります。でもいちばん大切なのは、自分のプロジェクトを前に進めるようなかたちで、毎日書けるようになることです。**大切なのは、調査や学習や研究のあとで書くのではないということです**。書くことは、これらの仕事のすべての間にあります。

だからこそ毎日書くもの、つまりメモや草稿についてはめったに考えないのかもしれません。私たちの営みに不可欠であるにもかかわらず、常にやっているからこそ注意がいかないのです。

しかし、自分の発見やそれを書き記すやり方を改善し、毎日書くものを少しでもうまく整理できるようになれば、いざまっさらな紙や画面に向かった瞬間がまったく違ってきます。

いや、この言い方は不正確かもしれません。**賢いメモをとるようになれば、白紙に向かうことは二度となくなるのです。**

メモのとり方があまり注目されない理由がもうひとつあります。

メモがへたでも、直接批判されるわけではありません。失敗を経験しなければ、直そうという思いもあまり生まれません。

人は原稿前で焦ってはじめて、本屋に行きます。すると、書き方を説く本がたくさん並んでいます。多くの出版社はこれに対応して、納屋からすでに馬が逃げてしまったような、つまり書くべきものは何もないのに的外れな状況に対処する方法をテーマにした本を企画しています。メモのとり方がいい加減だったり、効率的でなかったり、単純に間違っていたりすると、しめきりが迫るまでメモの使えなさに気がつかないことすらあります。そして、自分はこんなに大変なのに、「いい文章をたくさん仕上げて、いつでもお茶につきあってくれるぐらいの余裕がある人もいるのはなぜだろう」とみんな首をひねるわけです。

そんなとき、ある種の正当化が、本当の理由を見えづらくします。

「そういう天才っているよね」「書くのは難しくて当たり前」「生みの苦しみも楽しみのうち」などという常套句のせいで、あまりに多くの人が、書くためのすぐれた戦略とそうでない戦略の違いが何なのかを考えなくなります。


でも、おそらく、メモのとり方のよしあしの違いである可能性が高いのです。


ここで問うべきは、「白紙に向かう何週間、何カ月、さらには何年も前から、すぐれた文章を簡単に書くための態勢を整えるためにできることは何か」ということです。

正しい引用のしかたがわからなかったり、心理的な問題で書けなくなったり、といった理由で執筆に苦労する人はそんなにいません。

友達とのメールやＬＩＮＥのメッセージには、たいして苦労しないものです。引用のルールは調べればすみます。それに、心理的な問題が発生しなくても、原稿が遅れる場合のほうがずっと多いはずです。

白紙からのアウトプットは至難の技

ほとんどの人が苦労するのは、もっとありふれた理由です。

そのひとつが「白紙の神話」です。書くことは、白紙から始まると思わされているのが苦労の原因です。

白紙を埋めるための内容が何もないと思えば、焦るのも当然でしょう。頭のなかに入っているだけでは不十分です。文章にするのが難しいところだからです。

だからこそ、すぐれた文章を生産的に生み出す営みは、すぐれたメモとりにもとづいていきます。**頭のなかで考えを組み立ててから引き出すより、考えを書き留めたものを手元に用意するほうが、比較にならないほど楽です。**

要するに、文章や論文の質と書きやすさは、なによりも主題を決める前に何を書いておいたかによるのです。

もし執筆の秘訣が準備にあるとしたら（と私は心から信じているわけですが）、ほとんどの自己啓発書と学習ガイドは、馬が逃げて何カ月もたっているかもしれないのに、ただ納屋を閉める役にしか立たないことになります。

学問の世界すら、ＩＱの高さは必要ではない

それを念頭に置くと、学問の世界すら成功を測る唯一にして最大の指標が、頭脳ではなく、日々の仕事のやり方であるのは驚きでもなんでもありません。ＩＱの高さと学界での成功について、少なくともＩＱ１２０より上には相関性はありません。たしかに、学問の世界に足を踏み入れるには、ある程度の知的能力が求められます。でも一度入ってしまえば、ＩＱが極端に高いからといって、自分を差別化できるわけでも、失敗しなくなるわけでもありません。

広い知の世界で大きな差がつくのは別の要因です。すなわち、手持ちの仕事に取り組むうえでどれだけ自己規律や自制心を働かせるかです（Duckworth and Seligman, 2005; Tangney, Baumeister, and Boone, 2004）。

あなたが誰であるかは、それほど重要ではありません。何をするかが重要です。**必要な仕事を賢くやれば、当たり前ですが成功につながるのです。**

このことはよい知らせでもあり悪い知らせでもあります。

よい知らせとしては、ＩＱはあまり自分の力でどうにかできるものではないのに対し、仕事のやり方なら、自己規律を高めて少し意志力を使えば自分の力が及びそうだということです。

悪い知らせというのは、人間には、自分をそのようにコントロールする能力が備わっていないということです。**自己規律や自制心を意志だけでつちかうのは簡単ではありません**。

意志力というのは、現在わかっているかぎり[*2]では、急速にしぼむ限りある資源です。また、時間をかけてもたいして向上しません（Baumeister, Bratslavsky, Muraven, and Tice, 1998; Muraven, Tice, and Baumeister, 1998; Schmeichel, Vohs, and Baumeister, 2003; Moller, Deci, and Ryan, 2006）。それに、自分にむちを打って仕事に追い込みたい人がどこにいるでしょうか。

しかし、幸いなことに、これらはすべてではありません。

いまでは、自制心と自己規律については、自分自身よりも環境の影響が大きいことがわかっています（Thaler, 2015, ch. 2）。しかも環境は変えられます。

チョコバーが周囲になければ、チョコバーを食べるのを我慢するために意志力を使う必要はありません。

また、もともとやりたいことをやるために意志力を使う必要もありません。興味があり、意味を持つ作業は、必ずやり遂げられます。遠いところにあるゴールと、目先のやるべきことのあいだに矛盾が生じないからです。

意味があり、しかもはっきりとゴールが決められた作業は、常に意志を必要としませんね。意志をもつのではなく、意志を使わなくてすむようにすることで、成功への態勢を整えることができます。

この状態にするために、ものを書くとき、そしてメモをとるときにどう整理しておくかが大切なのです。

Zettelkasten メモのとり方

日本版特別付録

メモのとり方がわかれば、アイデアや新しい理論を思いついたり、
文章や論文など、無理なくアウトプットができるようになります。

「ツェッテルカステン」という名前のメモ術を知りましょう!

デジタルのツールももちろんできますが、ここではざっと紙の場合の概要をお伝えします。

詳しくは、本文を読んで理解を深めましょう。

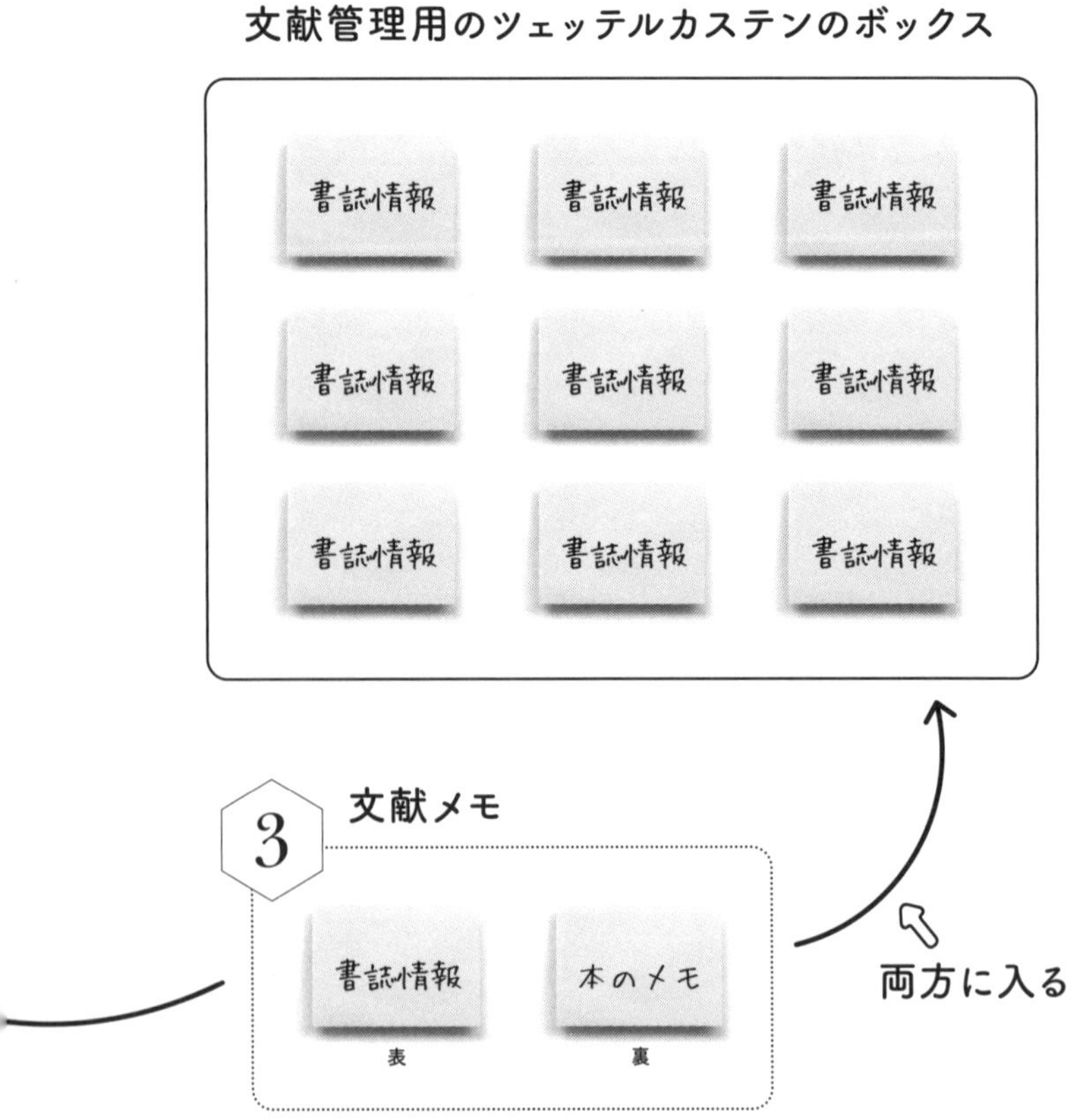

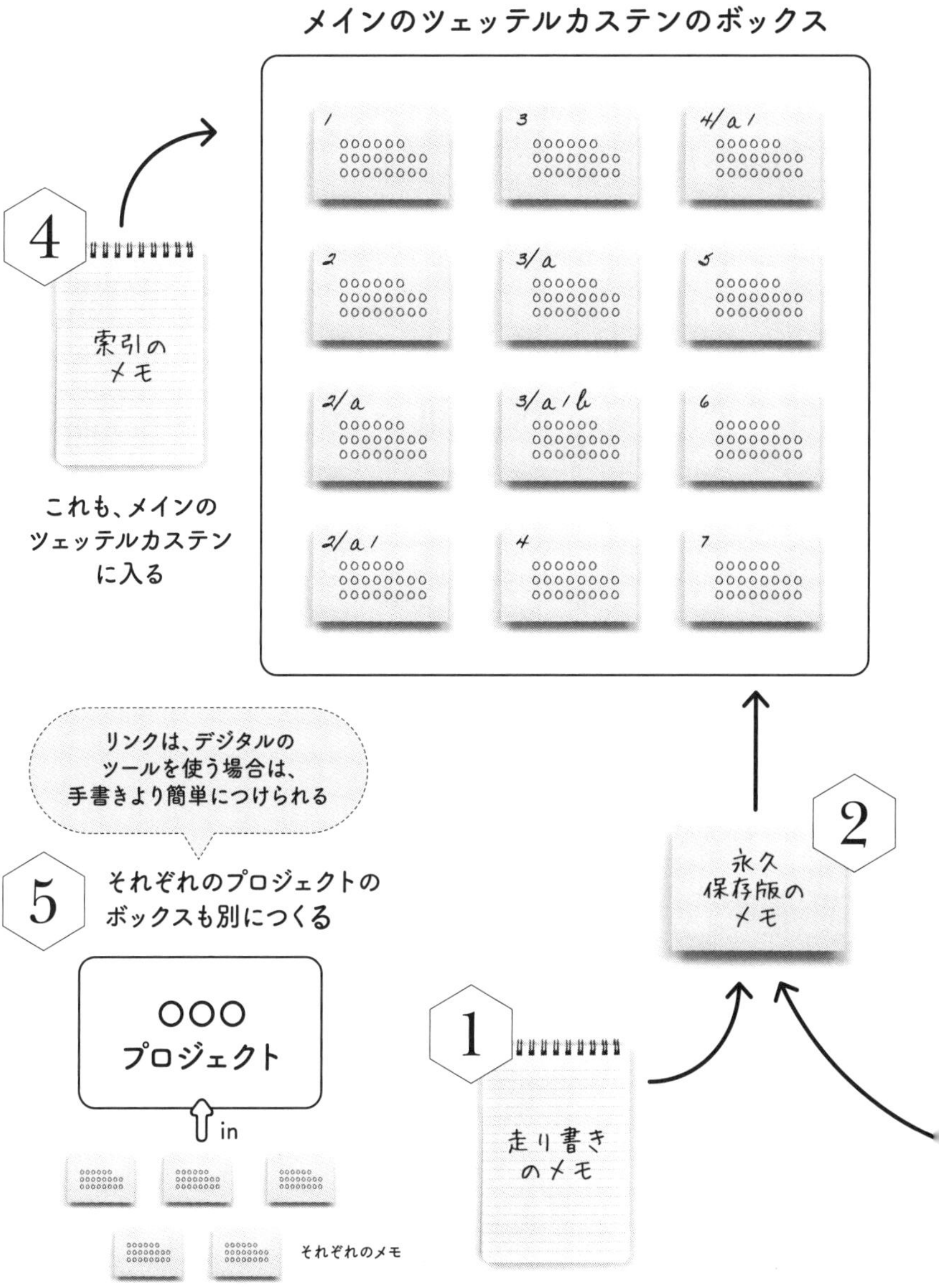

メインのツェッテルカステンのボックス
1
3
4/a1
2
3/a
5
2/a
3/a/b
6
2/a1
4
7
4
索引のメモ
これも、メインのツェッテルカステンに入る
リンクは、デジタルのツールを使う場合は、手書きより簡単につけられる
5
それぞれのプロジェクトのボックスも別につくる
〇〇〇プロジェクト
in
それぞれのメモ
2
永久保存版のメモ
1
走り書きのメモ

1

走り書きのメモ

何でも OK、
思いついたらなんでも書く

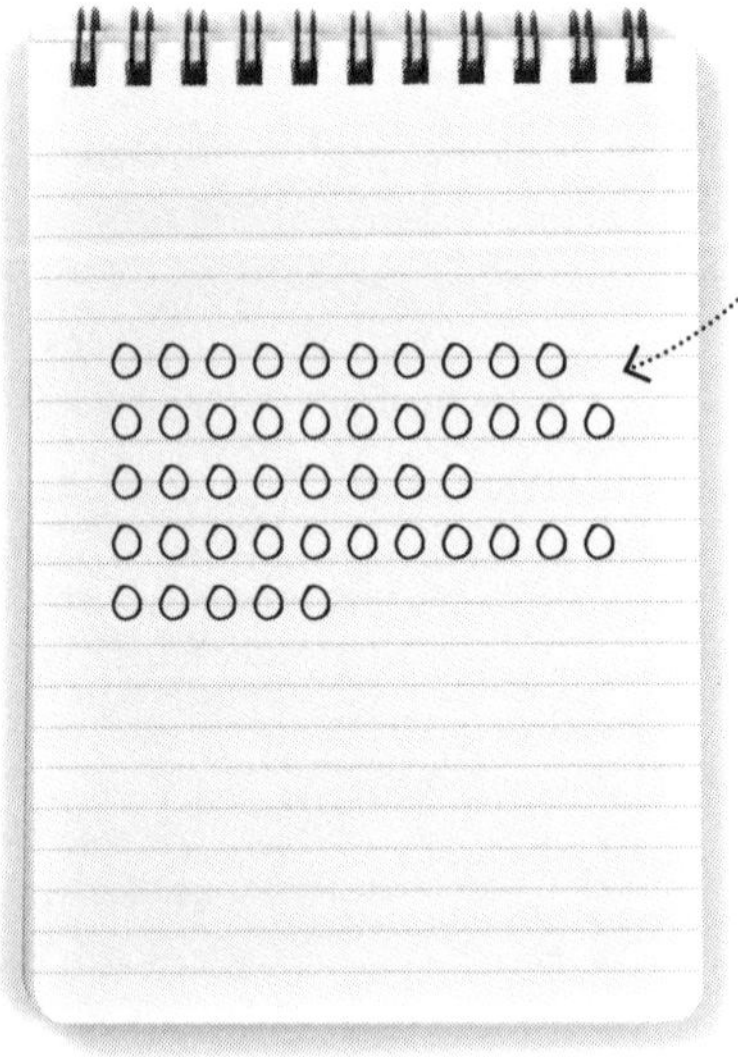

後で捨てるので、
紙は何でも OK ですが、
ひとつに集約すると
やはり使いやすい

詳しくは 65,78,96 ページ⇒

2

永久保存版のメモ

番号を振る
（入れる順番にふっていく。
もし前のメモの間に入れたかったら
枝番を入れる）

すでにある
メモとの関連性を
考えながら書くこと

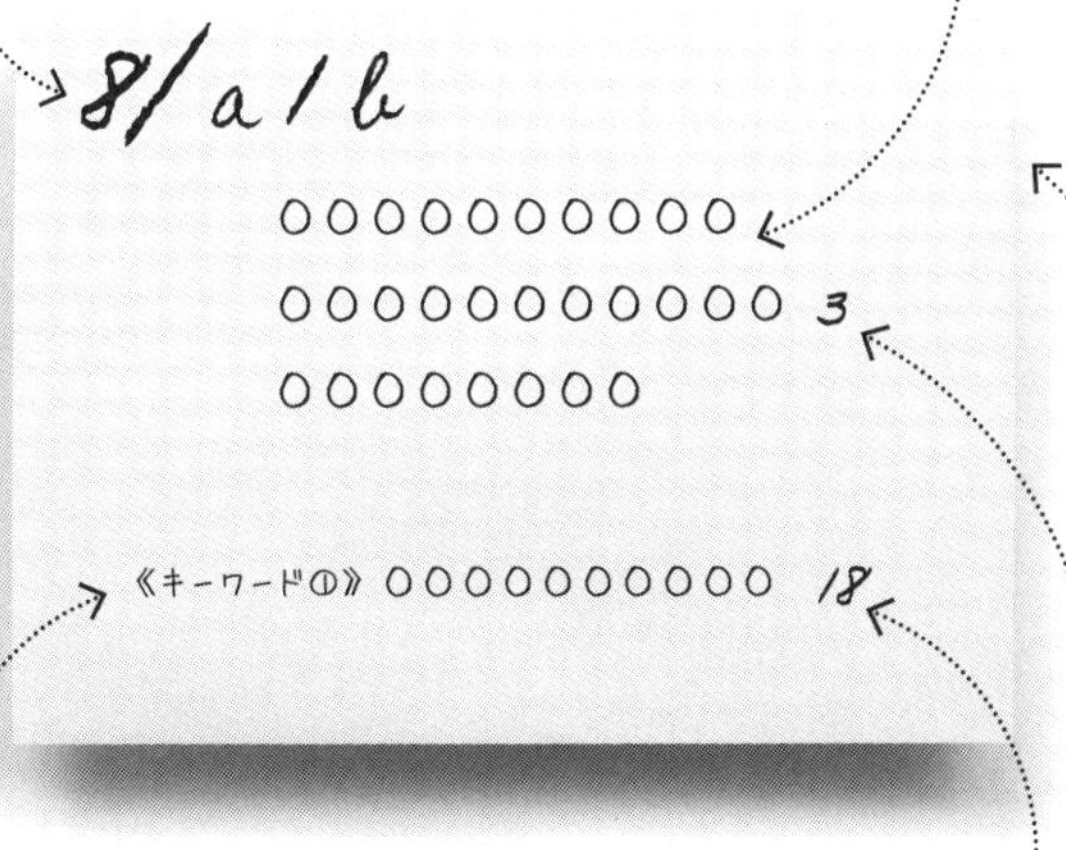

裏には何も
書かない

キーワードは
自分で
考えてつける

メモ同士に
リンクを貼る
（他のメモの番号を書く）

詳しくは 66,96 ページ⇒

3

文献メモ

本に書いていたことを、
自分の言葉にして書く

表

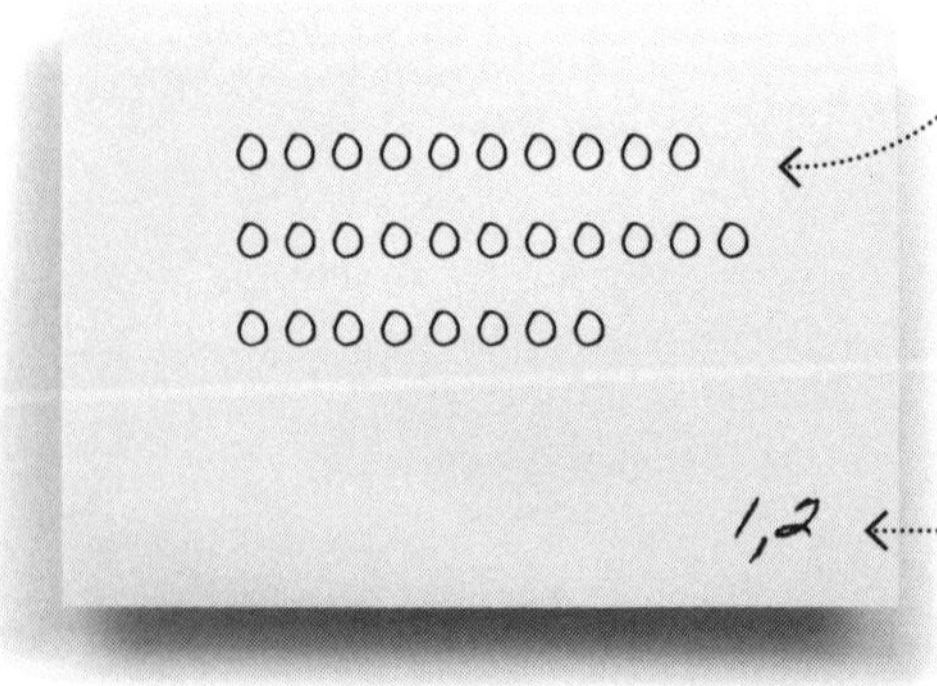

対応するメインの
ツェッテルカステンの
メモの番号を入れる

裏

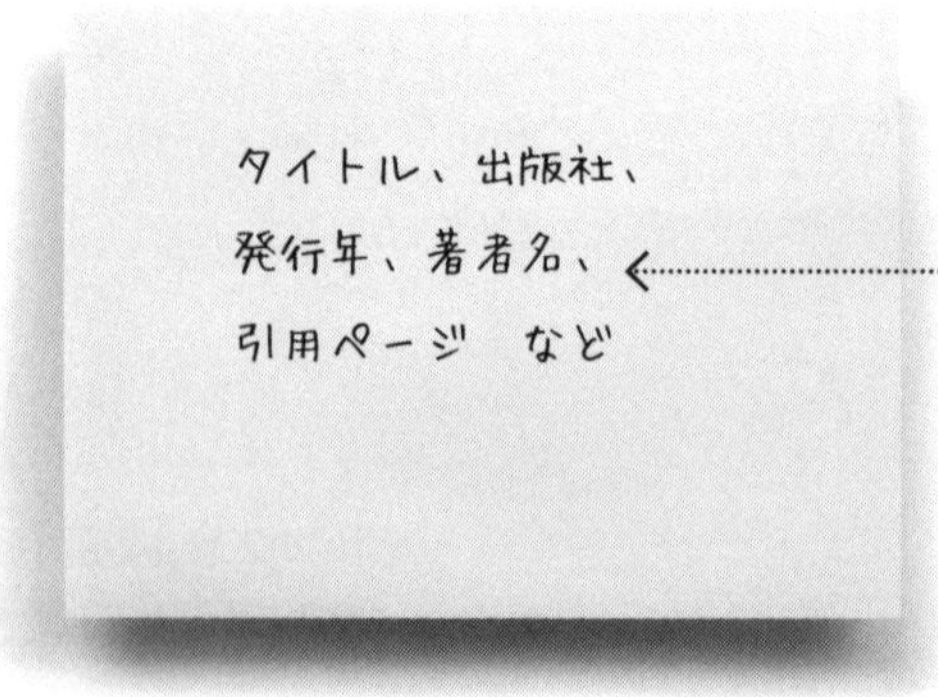

書誌情報を書く

詳しくは 65,153 ページ⇒

4

索引のメモ

キーワードは
自分で
考えてつける

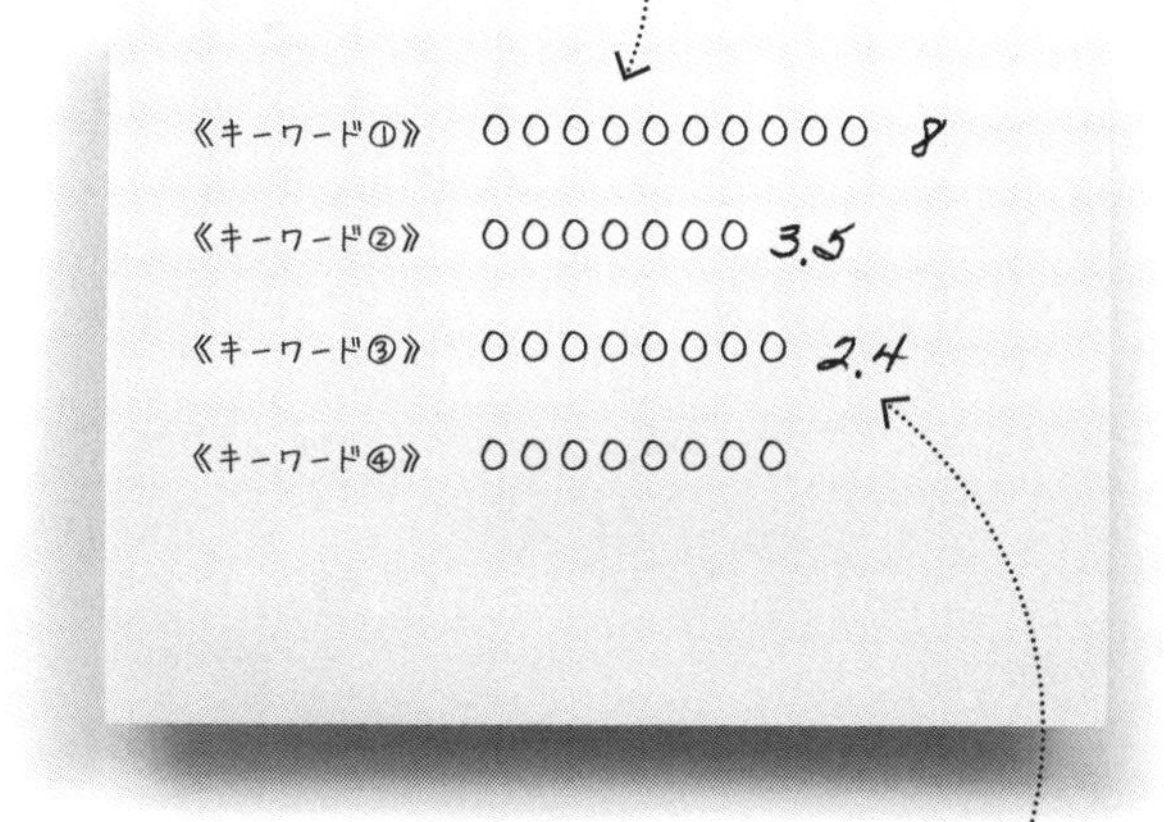

書き直したメモへの
リンクを入れる。
これは最小限でOK
（入口さえわかれば、
ひとつのメモを手掛かりにとべる）

詳しくは 217 ページ⇒

5

プロジェクトのメモ

プロジェクトが
立ち上がったら、
専用のボックスを
別につくる

○○○プロジェクトの
ボックス

in

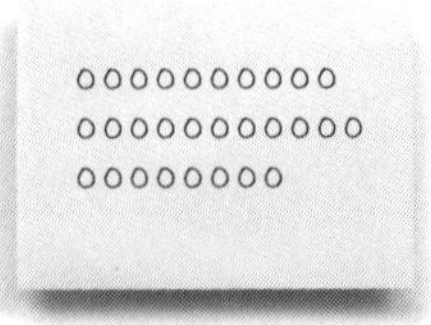

そのプロジェクトのみの
メモや、プロジェクトに
合わせて2のメモから
内容を変えたものなど

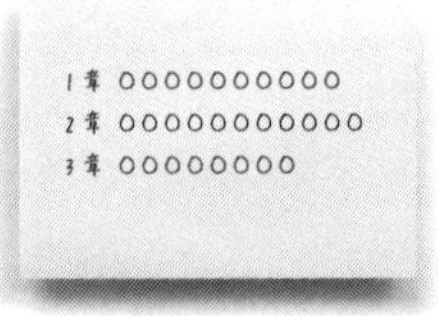

プロジェクトの構成

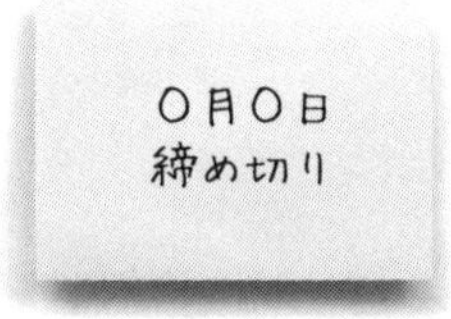

リマインダー

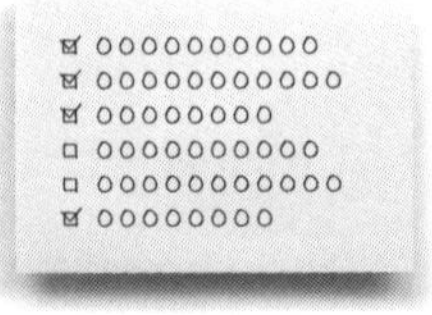

To Do リスト

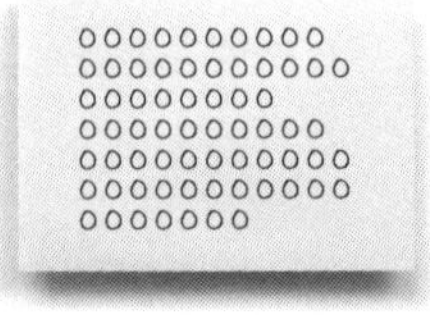

プロジェクトの原稿

詳しくは105ページ⇒

Chapter 01

「メモのとり方」を知れば、大作が自然に書ける

メモをとれば、偉大なアウトプットができる

これまで一般的に、メモのとり方は、そのアウトプットとはあまり関係なく教えられていました。本書では、それを変えようと思っています。

読者のみなさんに伝えたいのは、あるビール醸造人の息子を、20世紀で最も生産的

で尊敬される社会科学者のひとりにした、メモのとり方です。でもそれ以上にお伝えしたいのは、この人物が「やりたくないことをやるために自分を追い込んだことは一切ありません。行き詰まったら他のことをやります」と心から言っていたことです。このメモのとり方をどのように無理なく執筆に取り入れたかもお伝えしたいと思います。

すぐれた構造は信頼できます。

すぐれた構造をつくっておくと、予定全体をおびやかしたり、全体像を見失ったりせずに、ひとつのタスクから別のタスクにスムーズに移行することができるからです。それがあれば、あらゆることを記憶し、状況を把握するための負担が軽くなります。枠組みを信頼できれば、何もかも頭のなかでまとめようとしなくてもよくなり、重要なこと、すなわち内容、主張、アイデアに集中できます。

メモのアウトプットである「文章を書く」というとらえどころのない課題を、小さく、はっきりと分かれた作業に分割することで、一度にひとつの作業に集中し、一気に完成させて、次に移ることができるようになります。

すぐれた構造をつくると、集中することができます。作業に完全に没頭できると、時間の感覚を忘れ、苦労を感じずにそのまま作業を続けられます（Csikszentmihalyi,

1975）。そのようなことは、たまたま起こるものではありません。

「計画」を立ててしまうことが、やる気を失わせている

私たちは、先延ばしにしたい気持ちとの戦いや、やる気の維持に苦労しがちです。やる気を失わせるのは、採用している作業手順のせいです。

使いやすいメモ術を取り入れれば、コントロールを取り戻し、適切な作業を適切なタイミングで行える自由度を上げることができます。

「枠組み」をつくってそのなかで仕事をすることは、仕事をするための「計画」を立てることとは違います。計画に従って作業を進めようとすると、自分をせきたて、意志の力でどうにかするしかありません。しかしこのやり方は、やる気をそいでしまうだけではなく、思考やアイデア出し、研究、あるいは学び一般といった、時間や目的に制限のないプロセスには不向きです。

また、計画があると新しい洞察や理解を得たり、業績が達成されたりするたびに、それらに合わせて次のステップを調整する必要も出てきます。

計画することは、研究や学習の発想そのものと対立するにもかかわらず、書き方を

指南する本や自己啓発書の中心的なテーマにすらなっています。

計画がなければ、手あたり次第にだらだらやるしかない、という考え方は、大きな誤解です。洞察や、新たなアイデアを生み出すためにできるようなワークフローをまず構築することに、鍵があります。事前に立てた計画にこだわるあまり、予想外のアイデア、発見、洞察の芽をつみとってしまったら台なしです。

計画を立てると、学び続ける持久力を失う

残念ながら、大学でさえも、学生にただ計画を立てさせます。もちろん、計画にこだわって無理にやり通せば、試験には合格できます。でも、それでは学ぶこと、書くこと、あるいはメモをとることの専門家にはなれません。

また、計画を立てるだけの人は、試験が終わったあとも学びつづけることがありません。終わったら、むしろほっとします。しかし、やりがいがあっておもしろいとわかっている仕事をやめるなど考えもしない人もいます。それが専門家です。本書を手に取ってくれた読者の皆さんはおそらく、計画を立てるだけの人で終わらず、専門家になりたいと思っているでしょう。

優秀な人ほど、新しいアイデアを生むのに苦労する理由

たとえば、もしあなたが、よいアウトプットをしたいと思っていたとします。それなら、きっとあなたの目標も高いでしょう。いちばん苦しむのはだいたい、優秀な人だからです。

優秀な人は、最高の表現を見つけようとするので、文章を書くのに苦しみます。書くテーマを見つけるのにも長くかかります。最初に思いついたことはそんなにすばらしくない、そしてすぐれた問いは、待っていても降ってこないと経験で知っているからです。文献をもっとよく知りたいからといって図書館で時間をかけるので、読む量も多くなるので、格闘する情報量も増えます。

しかし、たくさん読んでも、アイデアがそれだけ増えるとは限りません。特に最初のうちは、調べれば調べるほど、逆に取り組むアイデアがかえって少なくなります。ほとんどのアイデアは他の人がとっくに調べてしまっているとわかってしまうからです。

また、すぐれた書き手は、「当たり前」のその先を見通そうとします。限界を乗り

越えようとします。他の人のようなやり方はできません。たとえ、どのように噛み合うかわからない複数の異質なアイデアにマニュアルなしで対応しなければならなくとも、いばらの道を行きます。

優秀な人は、そもそも他人より扱う情報が多い

これらすべてが意味するのは、増えつづける情報を記録するためのシステムが必要だということです。そうしたシステムがあれば、結びつけ、新しいアイデアを生み出すことができるようになります。

優秀でない人物には、こうした問題は起こりません。自分の能力の範囲にとどまり、いわれた参考書だけを読んでいれば（あるいはそれすら読まなければ）、外部のシステムを使う必要はありませんし、いつもの「文章の書き方」に従えば文章が書けます。

実際、優秀でない人は自分をたいして疑わないので、テストを受けるまで自分を優秀だと思い込むことがあります。これを心理学用語で「ダニング＝クルーガー効果」といいます（Kruger and Dunning, 1999）。

優秀でない人は、自分自身の限界を知ることができません。世の中には膨大な知識

があることがわかってはじめて、自分がいかに知らないかが見えてくるからです。

このように、何も知らない人が自信過剰になるいっぽうで、努力した人が自分の能力を過小評価することがあります。優秀でない人は、書く題材を見つけるのに苦労しません。自分の意見をもっていないか、もう十分に考えたと自信をもっているからです。さらに、本から裏付けとなるエビデンスを見つけるのにも苦労しません。裏付けを否定するような事実や主張を見つけて検討する興味もスキルもないからです。

それに対して優秀な人は、まだマスターしていないことに気が付いてしまい、どんどん自分のハードルを上げていきます。

だからこそ、膨大な知識をたくわえた、成績優秀な人が、心理学用語の「インポスター（詐欺師）症候群」に陥ることがあります。実際には誰よりもその仕事にふさわしいのに、自分は適任ではないと思い込む症状です（Clance and Imes, 1978; Brems et al., 1994）。

洞察は簡単には生まれない。メモは意見を主張するためだけでなく、共有する価値のある洞察を得るためのツールである——そう理解している優秀な書き手のために、本書はあります。

メモ術はシンプルなものがいちばん

本書でお伝えする方法では、複雑なシステムを構築する必要も、手持ちの資料をすべて整理し直す必要もありません。賢くメモをとることによって、すぐにアイデアの発展に取りかかることができます。

しかし、ただメモをとるだけという行為だけでも一筋縄ではいきません。読んだ内容を記録し、メモを整理し、思考を発展させようとしているだけでも、次第に難しいことをしなければならなくなっていくからです。メモで重要なのは、思考を集めるだけではなく、互いに結びつけて、新しいアイデアを思いつくきっかけにすることです。

ほとんどの人は、手持ちの資料を小さな山やフォルダーごとに分けようとします。メモをトピックとサブトピックの順に並べると、一見すると単純になります。しかし、あっという間に増えて、複雑になってわかりにくくなります。**しかも、メモ同士のあいだに驚くべきつながりをつくったり、見つけたりする可能性も下がります**。使いやすさを求めて、有用性を犠牲にしてしまったわけです。

複雑さに対処する最善の方法は、できるだけシンプルにして、いくつかの基本的なルールに従うことです。構造をシンプルにすることで、肝心なところ、つまり内容そのものを複雑にすることができます。

この現象については、豊富な実証研究と論理的研究が揃っています（Sull and Eisenhardt, 2015）。賢いメモのとり方は、極めればとてもシンプルになります。

さらに、賢いメモをとりはじめるための時間と労力についても朗報があります。読み方、メモのとり方、書き方を大幅に変えるにもかかわらず、準備期間はほとんどいらないということです（ただしデジタル形式を選ぶなら、原則を理解してひとつかふたつのプログラムをインストールする必要があります）。

これまでやってきたことをやり直すのではなく、これからのやり方を変えるのです。いまあるものを整理し直す必要はありません。いずれにしても扱わなければいけないものを、今後はこれまでと違ったかたちで扱うだけです。

新しいメモのとり方を習慣にしよう

朗報はさらに続きます。新しい技術を一からつくりなおすことは必要ありません。すでによく知られていて、実証済みのふたつの方法を組み合わせるだけです。

ひとつ目のアイデアは本書のメインテーマで、「ツェッテルカステン」〔ドイツ語でツェッテルはカードや紙、カステンは箱の意。世界中でよく知られている情報収集メモの取り方の方法〕というシンプルなテクニックです。

このシステムの原理は42ページ以下から説明します。幸いにも、デジタル版もあります。

もちろん、紙とペンが好みならそちらを使ってもかまいません。紙とペンだけでも、生産性と簡単さの面で、あまり賢くないメモのとり方をしている人よりも軽く上を行くことができるでしょう。

ふたつ目のアイデアも同じぐらい重要です。

たとえ最もすぐれたツールを使っても、そのツールを組み込む日課を変えなければ、生産性が大きく上がることはありません。最速の車もまともな道路がなければ、たいして役に立たないのと同じです。

習慣を変えるあらゆることと同じく、メモの習慣を変えるには、いままでの方法に戻りたくなる段階を乗り越えなければなりません。新しい方法は最初、少し不自然な感じがして、直感的なやり方とは違うように思えるかもしれません。それは正常なことです。

でも、賢いメモのとり方に慣れれば、それを自然に感じるようになり、前はどうやってやり遂げていたのか不思議に思うはずです。ルーチンには、無意識に行うことができて、なおかつ、いままでの習慣に自然と噛み合う、シンプルで繰り返し可能なタスクが必要です（Mata, Todd, and Lippke, 2010）。

すべての作業が連動し、全体のプロセスの一部になり、あらゆるボトルネックが取り除かれることで、はじめて大きな変化を起こせる可能性が出てきます（インターネットによくある「あなたの生産性がアップする刺激的なツール10選」のような記事がろくに役に立たないのはこのためです）。

文章を完成させるために必要な「タスク」をあらかじめ出すのは不可能

洞察に満ちた文章や論文を書くとき、そのほとんどの作業は、わざわざ挙げるには小さすぎる行動（章を読み直す、脚注を調べる、段落を書くなど）か、一気に終わらせるには壮大な作業です。またそれ以前に、どの手順から先に手をつけるべきかを予測するのも困難です。また、資料の意味を理解するために他の資料を調べたり、脚注に気づいてさっとチェックしたり、メモをとったり、読書をしたりしてから、頭に浮かんだ文を書き留めたりすることも必要です。

書くことは、一直線のプロセスではありません。さまざまなタスクのあいだを行ったり来たりしなければいけません。

ただ、細かいタスクまで管理しても意味がありません。反対に、目標を大きくとらえようとしても役に立ちません。そうすると、次の手順が「文章を書く」ぐらい大ざっぱなものになってしまいます。

これでは、書くための準備としては心もとないですね。文章の準備のため、1時間程度ですむものから1カ月かかるものまでさまざまなタスクがあるからです。

ここで、ひとつ大切なことがあります。整理をうまく行うコツは、総合的な視点にあるということです。

タスクはもれなく対応しなければなりません。そうしなければ、どうでもいいと思っていたタスクが緊急事態に変わったりなどして、将来苦しめられることになります。

書くことには、素材集めから校正まであらゆるプロセスがあります。

ここでの目標は、小さな手順から次の手順へとスムーズに移行できるにもかかわらず、それぞれのやるべきことを柔軟にやれるぐらい、各手順が独立しているようにすることです。

これらをクリアするためには、書き、学び、思考するといった時間や目的に制限のないプロセスに適したメモとりシステムが必要です。

さあ、次からいよいよ、これらの問題を解決する、「ツェッテルカステン」の世界へ入りましょう。

メモのとり方を発明して、最高の研究者になった人物の話

時は1960年代、場所はドイツ。とある役所にビール醸造人の息子がいました。その名は、ニクラス・ルーマン。法学部に進んだものの、弁護士として依頼人のために働くのは気が進まず、公務員の道を選びました。しかし、行政のキャリアも人間関係が重要なので向いていないと自覚したルーマンは、9時から5時まで働いたらすぐに家に帰り、いちばんの楽しみに没頭しました。読書をして、哲学、組織理論、社会学への幅広い関心を満たすことです。

彼は印象深いことがらに出会ったり、何かを考えついたりしたら、すぐにメモに書き留めました。現代では、多くの人が夜になると自分の関心を追って読書をします。メモをとる人もいます。でも、読書によってルーマンのように途方もないキャリアを送った人はほとんどいません。

しばらくふつうの人と同じようなメモをとり、本の余白にコメントを書いたり、トピック別に手書きのメモをまとめたりするうちに、ルーマンはいまのメモのとり方ではどこにも到達できないことに気づきました。そこで、メモのとり方を一新したので

す。いつもの分類をしたり、本文にメモを追加する代わりに、すべてのメモを小さな紙に書き、隅に数字を振り、1カ所に集めました。それが、「ツェッテルカステン」です。

まもなくルーマンは「ひとつのアイデア、ひとつのメモの価値は、文脈によって決まる」、そして「その文脈は、必ずしもメモを採録した文脈とは限らない」と気づきました。そして、メモの新たな分類法を開発しました。

ルーマンは、どう分類すれば、ひとつのアイデアをさまざまな文脈に関連づけられるかを考えました。

1カ所にメモを集めるだけでは、メモの山ができて終わりです。

しかし、ツェッテルカステンによって、メモの数以上の価値が生まれました。ツェッテルカステンはルーマンにとって、対話のパートナー、アイデアの生成装置、そして生産性のエンジンになりました。思考を構造化し、発展させるのに役立ったのです。なにより、使っていて快適でした。

あらゆるジャンルの、あらゆる情報を駆使した本も書ける

さらに、ツェッテルカステンはルーマンを学問の世界へ導きました。

ある日、ルーマンはツェッテルカステンで生まれたアイデアの一部を原稿にまとめ、当時のドイツでも指折りの影響力のある社会学者、ヘルムート・シェルスキーに見せました。シェルスキーは、この在野の研究者が書いた原稿を持ち帰って読み、折り返し連絡しました。そして、新たに開学したビーレフェルト大学の社会学の教授になってはどうかと勧めました。

名誉ある魅力的な仕事ですが、ルーマンは社会学者ではありません。ドイツにおいて社会学教授の助手になるための正規の資格すらもっていません。第一、博士号もなければ、社会学の学位もありません。ほとんどの人は、過大な誉め言葉と受けとりつつ、誘いを丁重に断るでしょう。

でも、ルーマンはそうしませんでした。ツェッテルカステンに向き合い、1年以内に必要な資格をすべて取得しました。その後まもなく１９６８年にビーレフェルト大学の社会学教授に選ばれました。そして、一生この地位を守り抜いたのです。

ドイツでは、教授が着任したときに、自分の研究計画を紹介する公開講演を行う習わしがあります。ルーマンも、予定をしているおもな研究計画について聞かれました。その答えは有名です。

「研究計画：社会に関する理論。期間：30年。予算：ゼロ」と、ごく簡潔に述べたのです（Luhmann, 1997）。社会学で「社会に関する理論」といえば、つまりすべてのことです。

そして、ほぼ宣言どおり29年半かけた大作、『社会の社会』（法政大学出版局、２００９年）の最終章を１９９７年に書き上げると、社会科学者のコミュニティに激震が走りました。[*3] そのラディカルで新しい理論は、社会学を変えただけではなく、哲学、教育学、政治理論、心理学の分野でも熱い議論を巻き起こしました。

ただし、議論についていける人ばかりではありませんでした。

ルーマンの研究は非常に高度で、異質かつ複雑なものでした。各章は個別に出版され、それぞれが法律、政治、経済、コミュニケーション、芸術、教育、認識論、さらには愛まで、さまざまな分野について論じています。

30年間で、ルーマンは58冊の本と数百本の記事を発表しました。これには翻訳書は含まれていません。その上その多くが、さまざまな分野の古典的名著となっています。

ちなみに、死後にさえ、研究室に残っていた完成間近の原稿にもとづいて、宗教、教育、政治など多岐にわたる分野の本が10冊以上出版されました。

死んだルーマンと同等の生産性に達するためになら、何をするのもいとわない同業者を、私は何人も知っています。

よく見るのは、ひとつのアイデアからできるだけ多くの刊行物をひねり出そうとする光景です。しかし、ルーマンはその逆を行っているようでした。いつでも、書き起こすよりも多くのアイデアを生み出していたのです。ルーマンの文章は、できるだけ多くの洞察とアイデアを1冊に詰め込もうとしているかのようでした。

人生に足りなかったものがあるかと聞かれたときの答えも有名です。

「何かが欲しいとしたら、もっと多くの時間だね。本当にいらいらするのは、時間がないことだけだよ」(Luhmann, Baecker, and Stanitzek, 1987)

また、助手におもな仕事をやらせたり、チームで論文に取り組んで名前を連ねたりする人々も多い中、ルーマンはほとんど仕事を手伝わせませんでした。

最後に勤めた助手は、原稿のスペルミスを指摘するぐらいしか手伝わなかったと証言しています。手伝いらしい手伝いをしたのは、本人と、子供たちのために平日に食事をつくってくれた家政婦ぐらいでした。彼が、妻に早く先立たれたあとで3人の子供を育てなければならなかったことを考えれば、家政婦を雇うのも無理もないでしょう。しかし、もちろん、週5回の温かい食事は、影響力の高い約60冊の本と数えきれない記事を生み出した理由にはなりえません。

メモの力で、大量の本を苦もなく執筆できる

ルーマンのワークフローについて詳しく研究したドイツの社会学者ヨハネス・F・K・シュミットは、ルーマンの生産性は独自の作業テクニックによってのみ説明できると結論づけました（Schmidt 2013）。

しかし、そのテクニックが秘密だったことはありません。ルーマンはいつでも包み隠さず話していました。ツェッテルカステンが生産性の秘訣だと、いつも言及していました。少なくとも１９８５年から、どうしてそんなに生産的になれるのかと聞かれると、決まって次のように答えていました。

「もちろん、なんでもかんでも自分で考えているわけではないよ。思考はおもに、ツェッテルカステンのなかで起こるんだ」（Luhmann, Baecker, and Stanitzek, 1987）

それにもかかわらず、ツェッテルカステンとその使い方に詳しく注目した人はわず

かでした。説明を、天才の謙遜だと思って軽視したのです。

ルーマンの生産性は、もちろん印象的です。

でも、刊行物の数や著作の質そのものよりも強い印象を受けるのは、これらすべてを、あたかもほとんど骨を折ることなく達成したように思えるという事実です。

ルーマンは、やりたくないことを無理やりやったことはない、と強調しただけではなく、次のようにも語っています。「私は楽なことしかしない。何を書くかがすぐわかるときにだけ書いている。ためらうようなら、それを脇に置いて、他のことをやる」(Luhmann, Baecker, and Stanitzek, 1987)[*4]

つい最近まで、ルーマンのこうした発言を信じている人はほとんどいませんでした。私たちは、すぐれた結果には多大な労力が必要だと思い込んでいて、仕事の習慣をちょっと変えるだけで、生産的になるだけでなく仕事がおもしろくもなるということを、なかなか信じない傾向にあります。

でも、やりたくないことをやらなかったにもかかわらず印象深い仕事ができた、というより、**やりたくないことをやらなかったからこそ印象深い仕事ができた、というほうが、ずっと筋が通っていないでしょうか**。大変な勉強や仕事でさえも、自分の内から発したゴールと方向性が揃っていて、コントロールできていると感じられていれば、楽しくなります。

ツェッテルカステンは、刻々と変わる「自分が興味のあるテーマ」にも対応する

問題が発生するのは、状況が変わっても対応できなかったときです。それは、融通のきかないかたちで仕事を組み立ててしまったことから起こります。

執筆の内容をコントロールするには、最初に思いついたアイデアで自分を縛らないようにしましょう。また、執筆中の時間や目的なども限定しないほうがいいでしょう。

特に洞察が必要な文章だと、そもそも執筆中に問い自体が変わってきます。仕事に使う資料が想像とまったく異なる場合もありますし、新たなアイデアが浮かんできて、仕事への視点全体が変化する場合もあります。こうした、小規模ながら絶えず発生する事態に対応して調整できるようにしておくことで、興味、モチベーション、仕事の方向性をすべて一致させておくことができます。これができれば、まったく、あるいはほとんど労力が必要ない仕事になるでしょう。

ルーマンは、プロセスの目の前にある大切なことに集中し、もし中断した場合も、その場から再開しコントロールすることができました。メモの構造がこのようなやり

方を許していたからです。

大成功を収めた人物を研究した論文によると、成功とは強い意志力と抵抗に打ち勝つ力の産物ではなく、最初から抵抗を発生させない賢い仕事環境の成果であることが、繰り返し示されています（Neal et al., 2012; Painter et al., 2002; Hearn et al., 1998）。生産性の高い人は、不利な動きと正面から格闘するのではなく、柔道の達人のように抵抗をそらすのです。これは単に適切なマインドセットをもつだけの話ではなく、適切なワークフローをもつ話でもあります。

ツェッテルカステンとの連携によって、ルーマンはさまざまなタスクと思考レベルを自由かつ柔軟に切り替えることができました。**ルーマンのやり方の鍵は、適切なツールをもっていることと、その適切な使い方の両方ができることです**。そして、このふたつ必要だと理解している人はごくわずかです。

人々はいまだにルーマンの「秘密」を探し求めます。目覚ましい業績を才能のおかげだと考える人もいますし、ツェッテルカステンさえ用意すれば自分にもできると考える人すらいます。

もちろん、学問の世界でもビジネスの世界でも、賢くなければ成功できません。でも、思考、アイデア、そして収集した事実を外部のシステムに入れてそのなかで考え、思考を整理していかなければ、あるいはその習慣を毎日のルーチンに取り入れる方法がわからなければ、その不利はとても大きく、高いＩＱなどではとうてい埋め合わせできません。

ツェッテルカステンの技術に関していえば、秘密はありません。もう30年間も公にされています。では、なぜ誰もがツェッテルカステンを利用して、成功に向けて苦労せずに仕事をしていないのでしょうか。難しすぎるからでしょうか。とんでもありません。驚くほどシンプルです。理由はもっとつまらないものです。

① ここまでも言及したように、ツェッテルカステンのみに注目し、それが組み込まれたワークフローを無視したから。

② ツェッテルカステンについてのほとんどの刊行物はドイツ語版しかなく、しかも議論のほとんどが、ルーマンの社会システム論を専門とする社会学者のサークル内に終始していた。これは大きな注目を集める人々とはいえない。

③ 第3の、そしておそらく最も重要な理由は、ツェッテルカステンのシンプルさそのものにある。ほとんどの人は直感的に、シンプルなアイデアからあまり大きな成果を期待しない。印象的な結果には、同じぐらい印象的な、複雑な手段

があるはずだと考える。

ヘンリー・フォードの時代に、人は、車をベルトコンベアによる流れ作業でつくることがなぜ革命的なのか理解できませんでした。フォードは、無邪気で仕事のわずかな効率化に過度な熱意を燃やす人物程度に思われていたくらいです。この小さな工夫の大きな優位性が誰にも明らかになったのは、後世になってからのことでした。ルーマンのツェッテルカステンと仕事のやり方の優位性も、フォードの場合と同じように、いずれ明らかになるでしょう。

さあ、メモを始めよう！

いよいよ、このシステムの中心にあるツェッテルカステンについて知りましょう。ここではざっとルーマンが使ったツェッテルカステンがどういう原理なのか知っておきましょう。詳しい方法や、デジタルを使った方法は、次の章以降で説明します。

ルーマンは2種類のツェッテルカステンの箱を使い分けていました。

箱のひとつはメインのツェッテルカステンです。もうひとつは、それの補助的な役割をする文献管理用で、参考文献と、その内容に関する短いメモが入った箱です。どちらの箱に入るメモも、インデックスカードに書き、木の箱に保管していました。ツェッテルカステンとは、この箱とメモのことをいいます。

ルーマンは、読書をしてメモをとるときは、書誌情報をカードの片面に書き、自分のメモをその裏側に書いていました。これは、短く書くことが大切です（Schmidt 2013）。これらのメモは、ゆくゆくは「文献管理用」のツェッテルカステンに収まります。

そのあと、いよいよメインの箱を使います。まず、文献管理のメモに入る短いメモや、その他にとった走り書きのメモ（詳しくは65ページ、78ページで紹介）を見直します。それから、それらを元にメインのツェッテルカステンに向かい、また新しい紙に書き直します（つまり、文献管理に入るものと重複します）。ツェッテルカステンに入れるメモを書くときのコツは、すでにあるメモと、この新しいメモにどのような関連性があるかを考えることです。

1枚のアイデアには1枚の紙を使います。書くのは片面だけです。こうすることで、箱から出さずにあとで読み返しやすくなります。

通常はひとつのアイデアが1枚に収まるように十分に短くしますが、思考を広げたい場合は、その紙の後にもう1枚メモをつけ足す場合もありました。

たいていの場合、新しいメモは前のメモに直接続き、連続した長いメモの一部になります。そして、必要に応じて、新しいメモとこれまでのメモにリンクを追加しました（詳しい方法は２２４ページで紹介）。

リンクは、隣り合って置かれているメモに貼る場合も、まったく異なる分野や文脈に分類されたメモに貼る場合もあります。リンクがひとつも貼られずに終わるメモはめったにありません。

「メモに番号を振る」ことでアイデア同士がつながる

ルーマンは読書の内容からアイデアや言葉をただそのまま写し取るのではなく、ひとつの文脈から別の文脈に移し替えるようにしていました。つまり、できるだけ原文の意味を維持しつつ、自分自身の言葉を選んでいくという作業です。そうすることで、自分の状況や文脈に合った内容に生まれ変わります。

もとの文の内容をただ引用するよりも、消化して自分のものにしたほうが、メモとしてはるかに価値があります。よくあるメモのとり方は、トピック別に整理することですが、ツェッテルカステンでは一切それをしません。その代わり、固定の番号を振るという方法で整理します。

番号には意味がなく、それぞれのメモを識別するためだけに振られています。コメント、修正、追加など、新しいメモがすでにあるメモに関係しているか、直接言及している場合は、そのメモの直後に追加します。

既存のメモが「22」なら、それに関連すると思った新しいメモは「23」になるわけです。もし「23」がすでにあれば、「22a」と枝番をふります。このように、数字と文字にスラッシュやコンマを併用すれば、思考の連なりをいくつでも枝分かれさせることができます。

たとえば、ルーマンの因果律とシステム理論に関するメモでは、「21／3d7a6」に続くものは、「21／3d7a7」とアルファベットと数字を交互にした枝番号が振られました。

そして、メモを追加するたびに、ルーマンはツェッテルカステン内に関連するメモを探して、つながりをつくっています。

メモの後ろにメモを直接追加するのは、ひとつのやり方にすぎません。さきほども言ったとおり、メモ同士にリンクも貼ります。関連するひとつ、または複数のメモにリンクを追加します。ルーマンは、関係あるメモに、先ほどのメモの数字を書き込んでリンクとしました。これは、私たちがインターネットのハイパーリンクを使う方法に似ています。

メモ同士にリンクを貼ることが画期的

さて、メモのあいだにリンクをつけることで、ルーマンは同じメモを別の文脈でも使えるようにしました。フォルダーごとにしてしまうと、その時点でトピックの順序が決まってしまうのに対し、ツェッテルカステンではリンクを貼ってメモを自由に置くことで、あらゆるテーマを発展させることができます。執筆の段階になれば、関連するメモ同士を並べ替えて整理し、これがそのまま文章全体の構成になります。

まだおわりではありません。最後に必要なのは、「索引」です。

索引とは、メモが迷子にならないためのもので、別に独立したメモとしてつくります（索引のつくり方は、２１７ページ参照）。

メモの中から、キーワードを選び、索引にします。これがあれば、ひとつかふたつのメモを参照すれば、そこを起点に一連の思考やトピックを追うことができるしくみになっています。メモ同士はつながっているので、起点のメモがあればあとは自然と他のメモにもたどりつくというわけです。

方法はこれだけです。実際には、いまはプロセスを簡単にするソフトウェアがあるので、これよりもっとシンプルです。実は、もうひとつ「プロジェクトのメモ」というものもありますが、これは後ほど１０５ページで説明します。ソフトウェアを使ったデジタル版のツェッテルカステンなら、ルーマンのように紙を切ったり番号を手で振ったりする必要はありません。[*5]

ツェッテルカステンの大体のしくみがわかったら、あとはどのように自分のワークフローに組み込むかを理解するだけです。

そのためには、私たちがどのように考え、学び、アイデアを発展させるのかを理解するのが最善の道です。

あえて一言でまとめるなら、「私たちは、脳の制約を補うために、思考するための信頼性が高くシンプルな外部構造が必要だ」となるでしょう。

しかしまずは、第2章でツェッテルカステンを使って文章を書くプロセスを説明しましょう。

Chapter 02

メモはとればとるほど、財産になる

あなたのとったメモが、そのままアイデア集になる

想像してみてください。あなたは白紙から書きはじめるわけではありません。その代わりに、友好的な精霊（あるいは、十分な給与をもらっている助手）が、原稿の下書きを書いてくれています。

その下書きにはすでに主張が十分に展開されていて、すべての参考文献、引用、そしてさえわたるアイデアが揃っています。あとは、手直しして提出するだけです。もちろん、まだやることはたくさんあります。スペルミスを見つけるだけではありません。編集は、必要な作業です。

いくつかの文章を書き直したり、冗長な部分を削ったり、主張の穴を埋めるために、文や、あるいはもっと長い節を加えたりする必要があるかもしれません。

とはいえ、これは明確になっているタスクです。ゴールが手の届く範囲にあれば、誰でもやる気になります。数日のうちに終わらないことはありませんし、やる気を起こすのに苦労することもありません。何の問題もありません。

一方、あなたが下書きを編集して最終稿にするのではなく、下書きを準備しなければならない立場ならどうでしょうか。これを簡単にやり遂げるには、何が役に立つでしょうか。

ここでは必要なすべてのもの、つまりアイデア、主張、引用、そして長く練り上げられた節に書誌情報と参考文献が目の前に揃っているとしたらどうでしょう。しかも、目の前にあるだけではなく、わかりやすい見出しのついた章の順に並んでいます。もしそうなら、作業は間違いなく楽になりますね。

さて、ここでもまた、課題は明確です。完璧な文を書く必要も（それは他の人があとでやります）、調査をしたりアイデアを出したりする必要も（それは他の人がすでにすませました）なく、目の前のアイデアを一連の文章にすることだけに集中すればよいのです。

これもまた重要な仕事で、すぐれた結果を上げるにはある程度の労力をかけなければなりません。主張が抜けている段階を埋めたり、メモを並べ直したり、関係のなさそうなメモを抜いたりするかもしれません。しかし、これもまた明確にさえなっていれば手に負えないタスクとはいえません。

下書きのために、すでに存在するメモを順番に並べるのも、同じくすぐできるタスクです。特に、メモの半数がすでに正しく並んでいれば簡単です。

議論のつながりや、豊富な素材やアイデアの詰まったファイルをくまなく探すのは、結構楽しいものです。文を練り上げたり、難しい内容を理解したりといったときに必要となるような、全身全霊の注意力は必要ありません。

これは、リラックスしていて、遊び心すらもてる状態でしょう。視野をある程度以上広くもってはじめて、つながりやパターンが見えてきます。ツェッテルカステンを使うと、一連の長い議論がすでに蓄積されている場所がどこなのかが、はっきりわかります。ここが執筆やアウトプットのためのすぐれた起点になります。特定のメモを探したいときは、索引を利用できます。ここまでは何の問題もありません。

さて、この時点でおわかりかと思いますが、あなたは精霊の登場を待つ必要はありません。すでにとったメモのおかげで、それぞれの手順ができているからです。メモを集めて順番に並べ替え、それをもとに下書きを作成し、見直せばできあがりです。

そうはいっても、そのメモはどうやって用意するのか、と思われるかもしれません。

たしかに、すでにメモに書き留められているものを文章にするのがおもな仕事なら、書くのは簡単でしょう。でも、それは「お金が足りなければ、貯金箱から出せ」と言っているに等しいのではないでしょうか。いちばん難しい仕事を省けば、誰でもやさしく見せることはできます。では、いちばん難しい仕事とはどこになるでしょうか。

メモはあなただけの財産になる

それはもちろん、メモを書くことです。ものすごい労力、我慢、意志力が必要になり、作業の重みでつぶれてしまうに違いありません。……いまのは冗談です。

メモを書くのはいちばん簡単ですし、おもな仕事でもありません。おもな仕事とは、考え、読み、理解し、アイデアを思いつくことです。

メモは、これらを、形のある結果にしたものにすぎません。必要なのは、手にペンを握る（あるいはキーボードの上に手を載せる）ことだけです。

書くことは、考え、読み、学び、理解し、アイデアを生み出すことを最大限に促進します。アイデアについて考え、読み、理解し、アイデアを生み出すことに適切に取り組むなら、どちらにしてもペンを握りしめなければなりません。メモはこうして蓄積されていきます。

何かを長いあいだ学びつづけたければ、内容を書き留める必要があります。**そして、何かを本当の意味で理解したいなら、自分の言葉に直さなければなりません**。メモのポイントは、自分の言葉で書くことです。

思考は、頭のなかと同じぐらい紙の上でも行えます。「紙やコンピューターの画面に書いたメモは（中略）現代物理やその他の知的試みを容易にするのではない。可能にするのだ」脳科学者のニール・レヴィーは、数十年間にわたる研究をまとめた『Oxford Handbook of Neuroethics（オックスフォード脳神経倫理学ハンドブック）』の冒頭で、このように書いています。

脳科学者や心理学者など思考のエキスパートは、脳がどう働くかについて多種多様な考えをもっていますが、レヴィーが語るとおり、「脳内部のプロセスがどのようになっていても、脳が外部の足場に依存している範囲を、（本人が）理解する必要がある」ことでは一致しています。（Levy, 2011, 270）。つまりどの専門家も、アイデアは表に出す必要があるということ、そのためには書かなければいけないと述べているのです。

このことは、リチャード・ファインマンも、ベンジャミン・フランクリンも強調しています。**書いていれば、読んだ内容を理解する可能性も、学んだことを覚える可能性も、意味のある思考ができる可能性も高くなります。**そして、せっかく書くなら、今後本を出すときのための資料を蓄積しておくに越したことはありません。

考え、読み、学び、理解し、アイデアを生み出すことは、ものを書く人や勉強の中心的な仕事です。これらの活動をすべて向上させるためにメモをとれば、強い追い風に乗れるはずです。賢くとったメモは、あなたを前に進めてくれるのです。次の項では、ツェッテルカステンを行う上で大切な全体の流れをお伝えします。

メモには、「走り書き」と「文献メモ」と「永久保存版のメモ」がある

① 日常生活で、「走り書きのメモ」を書きます。頭に浮かぶあらゆるアイデアをとらえるために、何かを書き留めるものを常にもっておきましょう。

どう書くか、何を書くかはあまり気にしなくてかまいません。走り書きのメモは、頭のなかに入っていることを思い出すためのきっかけにすぎません。

コツは、1カ所にまとめることのみです。あとで処理します。

私はたいていシンプルなノートを持ち歩いていますが、他に何もなければナプキンやレシートでも十分です。電話にボイスメモを残す場合もあります。アイデアがすでにまとまっていて、時間がある場合は、この手順を省略して、アイデアを直接、正式な永久保存版のメモに書き起こし、メインのツェッテルカステンに入れてもかまいません。

② 「文献メモ」を書きます。これは、何かを読むたびにとるメモです。忘れたくないことや、自分の思考、後で文章に使いたいことなどを書き留めます。

長さはごく短く、内容は厳選し、自分の言葉で書きます。引用する場合は、特に念を入れて選びましょう。ここで大切なのは、**読んだ言葉の意味を真に理解するために、書き写すのはやめ、自分の理解で書くことです**。そして、これらのメモを、書誌情報と一緒に1カ所にまとめましょう。これは、あなたの文献管理システムに入るメモになります。また、これを元に、メインのツェッテルカステンに入れる「永久保存版メモ」も書きます。

③ ①と②で作成したメモをひととおり見て（いいたいことを忘れる前に、1日に1回が理想）、自分自身の研究、思考、興味にどのように関係してくるかを考えながら内容を整理して書き直します。これは、すでに入っているメモを見ることで簡単にできます。自分が興味をもてることしか入っていないからです。

　この作業は、アイデア、主張、議論を、収集するのではなく発展させることが狙いです。あなたの新しい情報は、すでにある情報に照らして、対立するか、修正するか、補足するか、付け加えるものでしょうか。アイデア同士を組み合わせて、何か新しいものを生み出せないでしょうか。アイデアを見て、どんな疑問が浮かんだでしょうか。

そして、新しく思い浮かんだひとつのアイデアに対してひとつだけ、メモを書きます。他の人に読んでもらうつもりで書きましょう。

主語と述語を入れ、出典があれば明記して文献メモにリンクを貼り、関連する他のメモとのリンクを付け、できるだけ正確、明確、簡潔に書きます。①の走り書きは捨て、②の文献メモは文献管理システムに入れます。そして、この③のメモは「メインのツェッテルカステン」のフォルダーないしはボックスにしまいます。ここに入れたメモは、あとはとりあえず忘れてしまってかまいません。大事な内容はすべて、ツェッテルカステンに収まります。

④

ここで、新しい永久保存版のメモを、次のようにしてツェッテルカステンに収めます。

a　それぞれのメモを、関連するひとつまたは複数のメモの後ろにしまいます(コンピューターのプログラムを使えば、ひとつのメモを複数のメモの「後ろ」に配置できます。ルーマンのように紙とペンを使う場合は、いちばん適切と思われる場所を決めて、番号を振ります)。

とにかく、新しいメモがどのメモと直接関連するかを考えます。まだどのメモにも直接関連していない場合は、最後のメモの後ろにファイリングします。

b　関連するメモにリンクを追加します（リンクのより詳しい内容は224ページ参照）。

c　このメモをあとで探せるようにします。そのために、索引もつくります。これはある議論やトピックの起点として使うメモを中心にリンクします。

⑤

トピック、疑問、研究プロジェクトなどのテーマは、システムの中に入っているメモから自然とボトムアップで発展してきます。こうやって、システムに入っているもの、欠けているもの、浮かんでくる疑問を確認します。

自分の主張を疑い、補強するためにさらに文献を読み、新たに学んだ情報に基づいて主張を発展させます。さらにメモをとり、アイデアをもっと発展させて、どんなところに到達できるかを確かめます。ただ興味のあることを追いかけ、いつでも、最も深い洞察が見込めそうな道を進みましょう。

ポイントは、すでに自分のもっている知識の上に蓄積していくことです。たとえツェッテルカステンにまだ何も入っていなくても、ゼロからのスタートではありません。テストしたいアイデア、妥当性を疑いたい意見、答えたい疑問が、すでに頭のなかにあるはずです。トピックを求めてブレーンストーミングする代わりに、ツェッテルカステンの中を見て、メモの連鎖が発展していたり、アイデアが塊にまとめられたりしている領域を見つけます。

もし、いまのアイデアより別の有望なアイデアをつきつめられそうなら、元のアイデアに固執するのはやめましょう。興味をもった分野について、文献を読んだり考えたりするほど、たくさんのメモが集まり、そこから疑問が湧いてくる可能性も高まります。興味は変わるほうが自然です。それこそが、洞察のなせるわざです。

⑥

しばらくすると、アウトプットや、文章のテーマを決められるぐらいアイデアが十分に深まってきます。いまや、主題はあなたの手の中にあります。これから読む本が与えてくれるかもしれない、未知のアイデアに基づいて主題を決めなくてもいいのです。この主題について、つながりをたどり、関連するすべてのメモを集めます（関連するほとんどのメモは、すでにある程度順序よく並んでいます）。

これをアウトライナー[*6]「アウトラインプロセッサーとも。情報を複数レベルの箇条書きのように簡潔にまとめ、思考整理や執筆に役立てるツール」にコピーして順番に並べます。欠けている情報、重複している情報を探します。
すべてがまとまるまで待つことはありません。それよりも、さまざまなアイデアを試し、十分な時間をとって読書とメモとりに戻り、アイデアや主張とその構造をもっとよいものにしていきましょう。

⑦ メモを利用して草稿を作成します。
メモを単に原稿にコピーしないようにしましょう。メモを筋の通った内容に翻訳して、主張の文脈に組み込みます。同時に、メモから主張を組み立てます。主張の穴を見つけて、それを埋めるか、または主張自体を変更します。

⑧ 原稿を編集して校正します。
自分の肩をぽんと叩いてねぎらい、次の原稿に移ります。

この手順では、一度にひとつの文章を書くことを例に出しました。しかし、実際にはひとつのアイデアにのみ取り組むことはなく、さまざまな段階にある、多くのアイデアと同時に格闘します。そのようなときにこそ、このシステムは真の強みを発揮します。

一度にいくつもの疑問が浮かぶことは止められません。いま取り組んでいる以外の疑問についても、将来的に考え、文章を書くかもしれないのです。**たとえ本や文章にしなくても、メモをとる習慣は確実に自分の知的成長のためになります。**作業中に出会った情報はその場で収集し、よいアイデアをみすみす捨てないようにしましょう。

将来のための無数のアイデアが貯めておける

将来の役に立つかもしれないと考えて、文献を読むことがあります。たとえ見込み違いだったとしても、まだ考えたことのない他のテーマにとって有用な、興味深い考え方が示されている場合もあります。それらには書き留めておく価値があります。

読んでみた本に、探していた情報のみが含まれ、それ以外はまったく含まれていないという可能性はほとんどありません。仮に、探していた情報のみが含まれる本があったとしたら、そこに書いてあることはすでに知っていたのであり、そもそも読む理由がなかったということになります[*7]。

何かに価値があるかどうかを判断するには、（たとえごく一部でも）読むしかないので、時間を最も有効に使う上で、読書をするのは理にかなっています。読書を進めていると、興味深いアイデアに絶えず出会いますが、その時自分が書こうとしている文章に使うのはその一部のみです。それ以外の面白い残りを捨てるのは、いかにももったいないのではないでしょうか。メモをつくってツェッテルカステンに加えましょう。そうすると、ツェッテルカステンの質も上がります。

追加するすべてのアイデアが蓄積され、それが一定の量を超えると、アイデアを溜めていたにすぎなかったものが、一転してアイデアを生み出すようになります。

何かを読み、メモをとります。ツェッテルカステンのなかでメモ同士をつなげると、それ自体が新しいアイデアの引き金になります。アイデアを書き留め、議論に加えます。文章を書き、主張の穴を探し、ファイリングシステムを見直して、つながりが欠けているところを探します。脚注でフォローし、思考に戻り、場合によっては執筆中のいずれかの文章に、ふさわしい引用も加えられます。

資料を読むときにどのくらい集中しているべきかは、そのときの優先順位によって変わります。さしせまった文章を完成させるためには、絶対に必要と思われないものまで読む必要はありませんが、それでも、読んでいればそのとき必要なもの以外のアイデアや情報にたくさん遭遇します。時間を少し使ってシステムに追加していると、将来大きな差が生まれます。**というのも、私たちの学びの大半は、偶然の出会いから生まれるからです。**

一生のうちに、みずから学ぼうとしたこと、あるいは教えようとして教えられたことしか学ばないとしたら、どうなるかを想像してみてください。言葉を喋れるかどうかも怪しいでしょう。自分の興味関心に従って選別し、追加した情報はすべて、理解し、考え、書く内容に将来貢献します。そして、予想もしていなかったアイデアが、たいてい最もすぐれたアイデアとなるのです。

ほとんどの人は、別々の思考のラインを同時にたどります。たとえば、ひとつのアイデアにしばらく集中してから、先に進む方法がわかるまで少しそのままにしておくことがあります。それならば、別のアイデアをいま理解しておいて、あとで元の考えに戻ってこられると便利です。最初からやり直しになることを心配せずに、この柔軟性を保てるようにしておくほうが、はるかに現実的です。

Chapter 03

必要なのはシンプルに「ペン」と「紙」

メモは、「考えること」を最大限にアシストする

ここで、NASAが宇宙で書けるボールペンを開発しようとしていたときの話を紹介しましょう。

NASAは無重力でも書けるボールペンを開発するため、いくつものプロトタイプ

を作成し、テストを繰り返し、大量の資金を投じました。しかし、同じ問題に直面したロシア人は、鉛筆を使いました（De Bono, 1998）。

この話自体は残念ながら都市伝説ですが、これには、ツェッテルカステンの中核となるアイデアが詰まっています。要するに、ＮＡＳＡのように話を複雑にせずに、シンプルにすべし、ということです。

書くこと自体は、入り組んだプロセスではありませんが、常に無駄な脱線で行き詰まる危険にさらされています。残念ながらたいていの書き手は、長い時間をかけてさまざまな学習法やメモのとり方を収集して取り入れます。どの方法も、作業が簡単になることを目指しているはずです。それなのに、組み合わせると逆効果になってしまうのです。

たとえば、重要な文に下線を引く（場合によっては色や形を変える）、本文の行間にコメントを入れる、抜粋を書く、〈ＳＱ３Ｒ〉[＊8]や〈ＳＱ４Ｒ〉[＊9]などの読書法を取り入れる、トピックに関するブレーンストーミングを行う、日誌をつける、主題に関するブレーンストーミングを行う、多段階の質問シートを埋めていくなど――これに加えて、学ぶことや書くことを補助するはずのアプリやプログラムも、星の数ほどあります。

こうした手法自体は特に難しいものは多くありませんが、問題なのは、それぞれの方法の関連を考えずに導入してしまうところです。これが混乱のもとになります。それぞれが完全に噛み合う手法など存在しないので、たくさんの仕組みを併用してしまうと、やり遂げるのが難しくなります。

仮に、あるアイデアに出会ってそれに関する情報を集めたい場合、ツェッテルカステン以外の方法では、何をするでしょうか。すべての本を読み直し、下線を見るべきでしょうか。自分の日誌や抜粋をすべて読み直すべきでしょうか。

そして、その後はどうすればよいでしょう。内容を抜粋すべきでしょうか。情報はどこに保存すればよく、それは新しいつながりをつくるのにどのように役立つでしょうか。つまり、ツェッテルカステン以外の方法では、それぞれの小さな手段が突然大変なプロジェクトに膨れ上がります。そのわりに全体の作業はあまり進みません。この状態で、さらに別の手法を投入しても事態が悪化するだけです。

だからこそ、ツェッテルカステンの出番です。

すぐれたツールは、やるべき仕事から気をそらすものを減らします。ここでの主要な仕事とは、考えることです。もちろん、機能や選択肢も付け加えません。

ツェッテルカステンは、考えるための足場を外部につくります。そして、脳があまり得意としていないタスク、特に情報の保存を手助けしてくれます。これで、必要な全部の情報を記憶しなくてよくなります。

ツェッテルカステンであなたが手に入れるのは、考えるためだけに働く、気の散っていない脳です。そして、それを考えるために用いる、信頼性の高いメモの蓄積。必要なのはこれだけです。他はすべて余計なものにすぎません。

必要なものをそろえよう

ツェッテルカステンには、次の４つの道具が必要です。

① 書くものと書かれるもの（紙とペンで十分です）。
② 文献管理システム（Zoteroなど、文献管理アプリなどで使いやすいもの）。
③ ツェッテルカステン（紙またはデジタル）。
④ エディター（Word、LaTexなど、使いやすいもの）。

これ以上は不要で、これ以下では不可能です。耳慣れないものも入っていますので、説明をしていきます。

① 書くものと書かれるもの

アイデアが浮かんでくるたびに、いつでもどこでもアイデアをメモするものが必要です。これは、前に出てきた「走り書きのメモ」です。何でもかまいませんが、すぐ書けることが大切です。書き留めるために考えなければならなかったり、注意が必要だったり、手順がいくつも必要だったりしてはなりません。

ノートでも、ナプキンでも、あるいはスマートフォンやｉＰａｄ上のアプリでもかまいません。

すでに説明した通り、これらのメモは永久保存版ではなく、いずれ削除するか捨てるものです。考えを思い出すためのもので、考えそのものをとらえるためのものではありません。考えそのものをとらえるには、適切な文を練り、事実をチェックするための時間が必要です。

紙とペンは常に持ち歩くことをおすすめします。**シンプルさでノートに勝つのは困難です**。もし複数使う場合は、必ずあらゆるものを1カ所に収めるようにしましょう。これらをツェッテルカステンに移動するかしないかの作業は、できるだけ早く処理するようにしましょう。理想的には1日以内です。

② 文献管理システム

②のメモもすでにご説明しました。これにはふたつの目的があります。文献を集めることと、読書中のメモを集めることです。私は〈Zotero〉（無料）のようなプログラムを強くおすすめします。〈Zotero〉では、ブラウザーのプラグインを通じて、あるいはＩＳＢＮ（国際標準図書番号）やＤＯＩ（デジタルオブジェクト識別子）を入力するだけで、新しい項目を作成できます。また、〈Microsoft Word〉や〈LibreOffice〉などのエディターに統合することもできます。

この機能を使えば、自分で書誌情報を入力せずに本の引用を保存できます。そうすれば、操作が簡単になるだけではなく、書誌情報を追加、編集、削除する際に間違えるリスクが軽減されます。また、将来執筆する、本や雑誌などの基準に従って体裁を変更するのも簡単になります。

それぞれにはメモも追加できます。ただしもちろん、この段階では手書きのほうがなじむ場合は、メモを手書きして、書誌情報にリンクしてもかまいません。

その場合は、メモに「発行年」などの標準の見出しを付け、それをアルファベット順や五十音順で1カ所にまとめておきましょう。〈Zotero〉は、〈zotero.org〉にて無料でダウンロードできます（Windows、Mac、Linux用）。私がおすすめするプログラムへのリンクはすべて、〈http://takesmartnotes.com〉にまとめてあります。

同じようにシンプルな他のプログラムを使いたい場合、あるいはすでに使っている場合は、もちろんそのまま使ってかまいません。

③　ツェッテルカステン

これについては、先ほど概要をご紹介した、昔ながらの、手書きの紙を箱に入れるやり方を好む人もいます。それでも問題ありません。

必要なのは、ハガキサイズ程度の紙（ルーマンはＡ６サイズ、つまり１４８×１０５ミリの紙を使いました）と、それを入れておく箱だけです。手書きにもメリットがありますが、持ち歩きやすさだけでも、個人的にはデジタル版をおすすめします。

コンピューターだと、リンクの追加や書誌情報の体裁の調整など、仕事のなかの比較的重要でない部分をスピードアップしてくれます。ただ、仕事の主要な部分、つまり、考え、読み、理解する作業は速くなりません。

ツェッテルカステンに利用するアプリは、「リンク」を設定し、「タグ」をつけられるプログラムがあるものなら、どれでもOKです（〈Evernote〉や〈Wiki〉）。
しかし、これに加えて、バックリンク（外部のページやサイトとのリンクができること。被リンクとも）機能のあるツール（〈Obsidian〉や〈Roam Research〉など）や、ツェッテルカステン専用ツール（〈Zettlr〉あるいは〈ZKN3〉［このふたつは英語版のみ］）をおすすめします。おすすめのプログラムは、私のウェブサイトで常に更新していますので、こちらもご参照ください（https://takesmartnotes.com/tools/）。ツェッテルカステンの具体的な書き方は、のちほど説明します。

④　エディター

〈Zotero〉をお使いの場合は、対応しているエディター（Microsoft Wordなど）をおすすめします。書誌情報がいちばん面倒で、これを手入力しなくてよくなれば、かなり作業が楽になるからです。その点を除けば、どのツールでも十分です。

書くものと書かれるもの、文献管理システム、ツェッテルカステン、エディター。この4つが手元にあれば、準備は万端です。

Chapter 04

「メモ」はあなたオリジナルの「思考」を生む魔法のツール

「メモ」はただ貯めておくだけだと意味がない

道具やツールの準備には、5分から10分ぐらいしかかからなかったかもしれません。
でも、ツールの入手は、ほんの一部でしかありません。
多くの「ツェッテルカステンを使ってみた」という記事は、著者が作業のしかたをきちんと理解しないまま実行するので、残念な結果に終わっています。ツールの真価は、使い手がそのツールを使いこなす能力に応じてしか発揮されません。

それなのに、ツェッテルカステンのようなツールを使うときには、全体としての使い方が大切なのを忘れてしまいがちです。ただツールを使うだけでは、最も優秀なツールでもたいして役に立ちません。

たとえば、ツェッテルカステンはメモを保管する場所として使われる可能性が高いでしょうし、さらに悪い場合はメモの墓場になってしまいます（Hollier, 2005、マラルメのインデックスカードについての項を参照）。

残念ながら、インターネット上にあるツェッテルカステンの解説にはいいかげんなものが少なくありません。そのため、前に書いたように、ツェッテルカステンの機能については多くの誤解が生まれてしまいました。

ツェッテルカステンの原理を知れば、メモを最大限に生かせる

しかし、状況は変わりはじめています。現在、ルーマンのツェッテルカステンは、ビーレフェルト大学の長期研究プロジェクトの対象となっています。その成果によって、

ルーマンがどのようにツェッテルカステンを利用していたかについて、かなりわかってきました。同大学のウェブサイトでは、メモの実物の一部を閲覧できます。[*10] 近いうちに、デジタル化されたルーマンのツェッテルカステン全体に、オンラインでアクセスできるようになる予定です。

これに加え、近年の心理学分野での、学び、創造、思考に関する洞察によって、ツェッテルカステンがなぜうまくいくのかもわかりつつあります。なぜこのメモが機能するのかを知っておくことは、とても重要です。それがわかってはじめて、自分のニーズに合わせて調整できるようになるからです。

いくつかの基本的な原則を念頭に置いて、このシステムの背後にあるロジックを理解すれば、学び、書き、あるいは研究を成功させるルーマンの公式を真似できない理由は考えられません。

Chapter 05

メモをとれば、書くことではなく思考に集中できる

アウトプットこそが大事

説得力のある文章の条件は、著者の肩書や出版社に関係なく、常に同じです。筋が通っていて、事実に基づいていることです。

文章を書くことには、まず、当たり前ですが書くという行為があります。

その前に、あなただけのトピックや観点を見つける作業があります。それから、取り組むべきテーマを見つける必要もあります。また、議論を組み立てるためには、関連文献の収集や、参考資料の読書も必要です。このように作業を個別のタスクに分割してはじめて、書くこと以外のタスクにかける時間のうち短くするべきものが見えてきます。

「アウトプット」にフォーカスできれば、書くこと以外への取り組みは間違いなく変わります。

たとえば、書きたいがために、読書量を減らしてしまうことがあります。しかし、読書は、書くことのおもな源泉ですのでもったいないことです。

また、学生なら講義やゼミへの参加を減らしてしまうこともあります。しかし、講義やゼミも、書くためのアイデアや、答える価値のある質問を提供してくれます。講義に出席するのは、研究の現状に関するイメージをつかむためのすぐれた方法のひとつでもあります。もちろん、質問をしたり、質問について議論したりできるメリットはいうまでもありません。

さらに、プレゼンテーションなど、自分の考えを発表するための他の方法をあきらめてしまうことさえあります。しかし、自分の考えに対するフィードバックを受け取るには、発表するしかありません。

このように、書くことそのものではなく、「書かれたもの、つまりアウトプットが大事」という意識をもつと、より熱心に別のタスクにも参加できるようになり、またフォーカスが鋭くなります。何を学習「するべきか」を判断するために時間をむだにすることはなくなります。その代わりに、できるだけ書くこと以外の効率を上げて、結論の出ていない問題にすばやく取りかかろうとするでしょう。

これができると「一見よさそうだがそうではない主張」と「本当によい主張」をすばやく見分ける方法も身につきます。主張を書き留め、自分のこれまでの知識とつなげようとする作業のなかで、自然と考えることになるからです。

ツェッテルカステンで、深い読書もできるようになる

また、読書も変わります。何もかもを書き留めることができないのはわかっているので、特に関連性の高い内容に集中できるようになります。

理解していなければ自分の言葉でまとめられないので、より気持ちの入った状態で

読むようになります。

ツェッテルカステンは、ものごとの意味を自分の言葉で説明することが大切なので、覚えておける可能性もはるかに高くなります。また、自分の言葉で書き留めるには、読んだことを超えて考える必要もあります。そうしてはじめて、新しいものが生まれます。

「書きあがったものがすべて」ということを明確な目的としてあらゆることをやれば、なにごとも意識してやるようになります。

たとえ今後1行も原稿を書かない人生を選んだとしても、「アウトプットされたもの以外に重要なことはない」かのようにあらゆることをすれば、読む、考えるといった知的スキルは向上するでしょう。

Chapter 06

メモをとるときは、つながりを意識する

ただのシンプルなアイデアが世界を変える

大きな改革は、大きなアイデアから始まらなければいけない、と私たちは考えがちです。

でも往々にして、アイデアはシンプルだからこそ大きな力をもちます（だから、最

初は見逃されるのです）。

たとえば、「コンテナ」ひとつで世界を変えた話があります。陸運会社のオーナーで自身もトラック運転手だったマルコム・マクリーンは、海岸沿いの高速道路でいつも渋滞に巻き込まれていました。

彼が渋滞を避けるアイデアを思いついたとき、それはシンプルなものでした。まさかそのシンプルなアイデアが政治的な力関係を変え、ある国を頂点に押し上げ、他の国を没落させ、百年以上も続いた職業を不要にし、新たな産業を生み出し、地球上のほぼ誰ひとりとして恩恵を受けない者がいないほどの大発明になるとは想像もしませんでした。

それは輸送用コンテナです。つまり、基本的にはただの箱です。ただ、それまではバラバラだったコンテナの規格が統一されたおかげで、物流から世界が変わったのです。［マルク・レビンソン『コンテナ物語　世界を変えたのは「箱」の発明だった』（日経ＢＰ、２０１９年）］

マクリーンがこのアイデアを思いついたときはただ、渋滞に巻き込まれて何日も過ごすよりもトラックを船で運ぶほうが合理的だろう、どうせ運ぶならトラック全体よりも中身を運んだほうが合理的だろうというそれだけの理由でした。

マクリーンはただ、もう渋滞に巻き込まれたくなかっただけです。

「全体」を見ることができれば、大きな力になる

ほとんどの船主は、マクリーンの、さまざまな種類の商品を同じ大きさの箱に詰めるアイデアは、実行は難しいと考えていました。経験豊かな労働者なら、サイズの違う商品をうまく詰め込んで、船舶の容積を最大限に活かすことができます。なぜわざわざ、そんな同じ箱に一律変えなければならないのでしょうか。

最適でないといえば、船も真四角ではありません。なのに、わざわざ四角い箱を誰が積もうとするでしょうか。

そもそも、コンテナにちょうど収まるだけの商品を運びたがる荷主もあまりいません。コンテナの容量に合わせて商品を調整しなければならないとなれば、荷主が不満足になるか、さもなければコンテナを半分空のまま、または別の荷主の商品を一緒に積んだ状態で輸送しなければなりません。つまり、港に着いたらコンテナをいちいち開けて、荷主ごとに仕分けしなければなりません。これらは、経験豊富な船主には、かえって手間がかかるとしか思えませんでした。

箱そのものの問題もありました。一度コンテナを船から下ろしてトラックに積み込んだら、そのコンテナを取り返さなければなりません。マクリーンも数百個のコンテナを紛失しました。

ちなみに、船にコンテナを積み込もうと考えたのはマクリーンだけではありませんでした。ほかにも多くの発明家が挑戦しましたが、ほとんどがすぐにアイデアを放棄しました。あまりにも多くの財産を失ったからです（Levinson, 2006）。

アイデアはシンプルでしたが、実現は簡単ではなかったのです。

あとになって考えると、それまでに失敗した原因は簡単です。

船主たちは、インフラと仕事の手順を変えずに、コンテナをいつもの仕事のやり方に組み込もうとしました。もともと慣れていた働き方のまま、コンテナを船に積み込もうとしたのです。**つまり、船主たちは、物流全体が変わろうとしているときに、全体を見ておらず、コンテナを自分の船に戻す必要性がさっぱり理解できていなかったのです。**

しかし、マクリーンは他の船主よりよくわかっていました。

マクリーンが画期的だったのは、「船主の観点ではなく、生産者から最終目的地まで貨物を届けること」という視点で見たことです。

梱包から配送まで物流の全体を眺め、船舶から港湾まで設計を見直してはじめて、コンテナの能力がフルに発揮されるようになりました。

このメリットが明らかになると、正の循環が完成しました。船主ではなく、港がコンテナに対応しました。するとコンテナ船の建造が必要になり、その効果で輸送料が割安になり、それにより海運に適した商品の幅が広がり、輸送量が増え、さらに大きなコンテナ船がお手ごろになり、さらなるインフラ需要を生み出しました。そうしたサイクルが続いていったのです。それは、単なる新たな輸送法ではなく、まったく新しいビジネスの革命だったのです。

アイデアを収集したときには、全体も見るべき

書き手の多くは、メモをとることに関して、この「昔の船主」です。アイデアや発見を、すぐに理解できる方法で扱ってしまいます。

本に書き込む人は、通常興味のある文を読めば、下線を引きます。コメントがあれば、余白に書き込みます。アイデアがあればノートに書き留め、記事が重要だと思えば、ひと手間かけて抜き書きします。

　このようなやり方では、あちこちに別々のメモができます。すると、どのメモをいつ、どこで書いたかということは記憶に大いに頼ることになってしまいます。

　このような方法では、ツェッテルカステンのようにメモをわざわざ書き直して箱に入れる意味はたいしてありません。あとで文章を書いたり考えたりする際、引用や文献が必要になったときに取り出すだけだからです。そうなると、「メモをどこに保存するか」が大きな問題になります。

メモは増えれば増えるほど価値が上がる

　しかし、ツェッテルカステンでは、その問題は「どんな文脈で、このメモをもう一度見つけたいか」に変わります。

　ほとんどの人は、資料をトピック別などに分類します。書き手の観点から見ると、これは買った物を購入日と購入店で分類するぐらい意味のない行動です。メモを見て、ズボンが見つからなければ、同じ日にデパートで買った漂白剤と多分一緒に入っているだろうな、と推測するようなものです。

　ツェッテルカステンは、執筆における輸送用コンテナです。

トピックごとにボックスをもつ代わりに、すべてのアイデアをひとつのツェッテルカステンに格納し、同じ形式に標準化します。

途中の手順にフォーカスして、下線の引き方、読書法、抜き書きのしかたなどの理論を確立するのではありません。すべての手順をひとつの目標、つまり「公表できるレベルの洞察を得る」ことに向けて合理化します。

トピック別保存法に比べての大きなメリットは、ツェッテルカステンは増えれば増えるほど収拾がつかなくなるのではなく、価値が上がるということです。

トピック別に分類すると、あるジレンマに直面します。メモをひとつのトピックに追加すればするほど、見つけづらくなります。そこで、トピックやサブトピックを追加しても、問題が新たな層に移動するだけです。

旧式のシステムは、自分で意識的に見つけようと思ったことしか見つけられず、自分の脳がどのくらい覚えているかに頼るしかありません。**しかし、ツェッテルカステンはすでに忘れたアイデアでもすぐ出てくるように設計されているので、思い出すためではなく、考えるために脳を使うことができます。**

整理されているツェッテルカステンには、トピックが多すぎたり少なすぎたりしても問題は発生しません。

ただ、気をつけてほしい場合があります。それは、無差別にメモを追加してしまうと、ツェッテルカステンでさえも価値が失われる場合があることです。使い手がクリティカルマス、つまり結果を出すために必要な量のメモを目指してはじめて、その強みを発揮できます。**ツェッテルカステンは、そのプロジェクトの結果を出すために使うのです。**メモの数だけではなく、質と扱い方が重要です。

メモの書き方のポイント

ツェッテルカステンの書き方のポイントは、メモをはっきりと区別することです。

1　走り書きのメモは、2の永久保存版のメモを思い出すためのきっかけにすぎません。どんな方法で書いてもよく、きちんと書き直して永久保存版のメモにするか、そうでないなら1日か2日でゴミ箱に捨てます。

2　**永久保存版のメモには、必要な情報が、自己完結したかたちで、いつでも理解可能な文章で書かれています。**これは絶対に捨てません。永久保存版のメモは必ず同じ形式で同じ場所に保存します。文献管理システムか、ツェッテルカステンに入れるかのどちらかです。

これらのメモは必ず別々に扱いましょう。こうすると、ツェッテルカステンのなかにアイデアのゴールを設定し、すばらしい結果を出すための材料を構築できます。

「重要なメモ」と「重要ではないメモ」をきちんと区別する

ツェッテルカステンがアウトプットにつながらないおもな理由のひとつが、走り書きのメモと永久保存版のメモを混同することです。

ありがちな失敗を犯しているのが、多くのまじめな人々です。ある友人は、出会ったあらゆるアイデア、興味ある知見、言葉を、ひとつ残らず書き留めています。常にノートを持ち歩き、会話中にもしょっちゅうメモをとっています。

メリットはもちろん、失われるアイデアがひとつもないということです。

しかし、デメリットもまた深刻です。すべてのメモを「永久保存版」カテゴリーのように扱っているため、メモが蓄積されて文章という結果を出すことは永遠にありません。

せっかくすぐれたアイデアを集めても、さして重要ではないメモに埋もれてしまうと見つけにくくなります。そのうえ、情報が完全な時系列順に並んでいては、生産的な意味でアイデアを発見したり、結びつけたり、並べ替えたりすることにはまったく役に立ちません。

その友人が、すばらしいアイデアの詰まったノートで本棚が埋まっているにもかかわらず、本の1冊も出版できていないのは驚きでもなんでもありません。

「特定のプロジェクトだけ」にこだわらない

2番目のありがちな失敗は、特定のプロジェクトに関連するメモだけを集めるというものです。こちらの方法は、一見して理にかなっていそうです。

しかし、プロジェクトが終わると毎回最初からやり直しになり、見込みのありそうな他の思考の流れが断ち切られてしまうというデメリットがあります。つまり、プロジェクトの進行中に見つけたこと、考えたこと、出会ったことがすべて失われてしまいます。

だからといって、新しいプロジェクトになる見込みのあるおもしろそうな事案に出会うごとに新しいフォルダーを開いていたら、まもなく圧倒的な量の未完成プロジェクトが残ってしまうでしょう。それをすべて管理しなければいけないとなると、話は違ってきます。

最も重要なのは、アイデアを永久に保存するための貯蔵庫がなければ、大きなアイデアを長い時間をかけて発展させることができなくなることです。卓越したアイデアには、フォルダーごとにしまうという方法は小さすぎるのです。

とったメモは、ツェッテルカステンに収納する

3番目のありがちな失敗は、すべてのメモを走り書きの臨時メモとして扱ってしまうことです。

これをしているかどうかはすぐにわかります。

常に机のまわりが散らかりますし、資料がゆっくりと積もっていき、本格的に整理整頓しなければいけないという思いばかりになります。

走り書きのメモを処理しないで収集すると、必ず大混乱に至ります。不明瞭で互いに無関係なメモが机の前に少々散らばっているだけで、最初からやり直したい気持ち

になるでしょう。

ツェッテルカステン以外の方法では、メモは増えれば増えるほど混乱する

これら3つに共通するのは、ツェッテルカステンの「走り書き」「文献メモ」「永久保存版のメモ」の3つのメモのカテゴリーを混同すること。メモの数が増えるに従ってメリットが減少してしまいます。

学習を深め、知識を収集すればするほど、メモはもっと有用になり、より多くのアイデアが組み合わさって新しいアイデアが生まれるはずです。そして、知的な文章を少ない労力で生産するのも簡単になります。

各種のメモの目的をじっくり考えてみましょう。

走り書きのメモは、他のことで忙しいときにアイデアをすばやくとらえるためのものです。会話をしているとき、講義を聴いているとき、実験の結果が出たとき、取材をしたとき、注目すべきことを小耳に挟んだとき、用事の消化中にアイデアが浮かんできたときなどは、作業を中断しないでできるのは走り書きのメモをとることぐらいです。

読書メモを本に書き込むのは、宝の持ち腐れ

読書中でさえ、読む流れを遮らずに文に集中したいときにはこれが当てはまります。それなら、文に下線を引いたり、余白に短いコメントを書き込んだりするぐらいで済ませたいと思うかもしれません。

しかしここで重要なのは、下線を引いたり、余白にコメントを書き込んだりする行為も、一種の走り書きのメモであり、テキストを自分の言葉で説明するには一切役に立っていないことです。

処理しないかぎり、すぐに無用の長物になります。**あとで見直さないことがわかっているなら、そのようなメモをとるのは最初からやめましょう。**代わりに、適切なメモをとりましょう。走り書きのメモは、およそ1日以内に見直して、あとで使える適切なメモに書き直す場合に限って有用なのです。

走り書きのメモを放置すると価値が減ってしまう

走り書きのメモは、アイデアの理解や把握には使えますが、文章を書くプロセスの後半では役に立ちません。本に書き込んだ下線が、主張を発展させるために必要なときに出てくることがないのと一緒です。

こうしたメモは、まだ自分の言葉で説明する時間がとれていない思考を思い出すためのものにすぎません。**いっぽう、永久保存版のメモは、メモをとった文脈をすっかり忘れてしまっても理解できるように書かれています。**

ほとんどのアイデアは時間の試練に勝てませんが、一部は大きなプロジェクトの種になることがあります。

残念ながら、プロジェクトが化けるかどうかをすぐに見分けるのは困難です。だからこそ、アイデアを書き留めるかどうかのしきい値はできるだけ低くする必要がありますが、それを**１日か２日のうちに自分の言葉で説明するのも同じぐらい重要です。**

メモの内容が理解できなくなっていたり、やけに平凡に思えたりしたら、メモを長く放置しすぎたサインです。前者は、メモが思い出させてくれるはずの中身を忘れてしまった状態です。後者は、メモに意味を与えていた文脈を忘れてしまった状態です。永久に保存するメモは2種類だけ。

文献管理システムに格納する文献メモと、ツェッテルカステンに格納するメインのメモです。前者はごく簡単で構いません。メモが指し示している文献の本文こそが重要なのが明らかだからです。

後者はもっと注意深く、詳しく書く必要があります。単独で読んでもわかるようになっていなければならないからです。

文献管理用システムに入れるメモを元に、メインのメモをつくる

ルーマンは、本で読んだ文章に下線を引いたり、余白にコメントを書き込んだりすることはありませんでした。ただ、注意を引いたアイデアについて、別の紙に短いメモをとっただけです。「文献の内容を詳しく書いたメモをとる。その裏面に、この内容はこの本の○ページ、これはこの本の△ページ、と書いて、読んだ内容を集める文献管理用のツェッテルカステンに入れるんだ」(Hagen, 1997)

そして、もうご存知のとおり文献管理用のメモをしまう前に、ルーマンはメモした

内容を読み返し、自分の思考の流れとの関連性について検討し、それを元にメインのメモを執筆しました。それを永久保存版のメモとして、メインのツェッテルカステンに格納しました。

この箱に入ったものは、捨てられることはありませんでした。目立たないところに落ち着き、二度と注目されないメモもありましたが、さまざまな推論の結節点となり、あちこちの文脈で何度も登場するメモもありました。

メモは「自分の言葉で書く」からこそ価値が出る

ツェッテルカステンがどのように発展するかを予知するのは不可能です。だから、メモの運命については心配する必要はありません。

走り書きのメモとは対照的に、ツェッテルカステン用の永久保存版のメモではすべて、最終的な論文や著書の一部になるか、そのヒントになるぐらい、自分の言葉で説明する必要があります。

ただし、後々役に立つかどうかは、その場では判断できません。

メモが関連性を帯びるかどうかは、今後の思考とアイデアの展開によるからです。

メモはもはや思考やアイデアを思い出すきっかけではありません。**文章のかたちで表された、思考やアイデアそのものです**。これは、他の方法との決定的な違いです。

さまざまな形式でメモをとり、あちこちに保存することで、不必要に使い方がわかりにくくなったり、余計な判断を伴ったりすることがなくなるので、思考や著述のプロセスを促進する鍵にもなります。

すべてのメモを同じ形式で同じ場所に保存してこそ、あとで組み合わせて並べ替え、新しいものをつくりだせるようになり、また、どこにしまう、どんなラベルを付けるといった問いに思考をむだづかいしなくなります。

プロジェクトには、専用のフォルダーをつくっていい

第1章で少し触れましたが、プロジェクトのメモというものがあります。これは、ひとつのプロジェクトにのみ関連したもので、あると便利です。

プロジェクト専用のフォルダーをつくって入れ、プロジェクトが終わったら捨てるか保管庫に入れる（アーカイブする）ことができます。

プロジェクトのみに関連するメモは、プロジェクトを立ち上げたときにつくってお

いたプロジェクトごとの専用フォルダーに、他のプロジェクト関連メモと一緒に格納しましょう。ここは、ひとつのフォルダーに入れて構いません。

このメモは、あまり形式を気にしなくて構いません。プロジェクトが終わったら捨てるからです(または保管庫、つまりゴミ箱行きを決められないものの箱に入れます)。

プロジェクト関連のメモには、次のようなものがあります。

- 原稿のコメント
- プロジェクト関連の文献を集めたもの
- アウトライン
- 草稿の一部
- リマインダー
- やることリスト
- そしてもちろん、草稿そのもの

ほとんどのデジタル上のツェッテルカステンプログラムでは、プロジェクト専用のページをつくることができます。

ここでは、思考の構造を組み立て、草稿の各章のコンセプトを決めるだけではなく、ツェッテルカステン本体を薄めたり、邪魔したりすることを恐れずに、このプロジェクト専用のメモのみを集めて並べ替えることができます。ツェッテルカステンに入ったメモに影響を与えずに、プロジェクトに合わせてメモを修正することまでできます。

同じことは、文献管理システムにもいえます。

〈Zotero〉を使うと、文献情報を文献管理システム本体から取り出さずにプロジェクト専用のフォルダーにまとめることもできます。こうすることで、永久保存版のメモをプロジェクト関連のメモと明確に分けることができます。活用することで、ツェッテルカステン本体に干渉せずに、プロジェクトの範囲内で好きなだけ試行錯誤することができます。

私は、プロジェクト関連のメモは、プロジェクトごとに紙のバインダーを用意して、手書きのメモやプリントアウトを1カ所にまとめ、他のものと区別することもおすすめします。

夜、進行中のプロジェクトのフォルダーを閉じて、紙とペン以外に机に何も残っていなければ、走り書きのメモ、永久保存版のメモ、プロジェクトのメモをきちんと区別できたことがわかるでしょう。

Chapter 07

メモをとれば、オリジナルのテーマと資料が自然に揃う

「白紙――あるいは現代風にいえば何もない画面とは、根本的な勘違いである」（Nassehi 2015, 185）

白紙からは何も生まれない

ものを書くプロセスは、大いに誤解されています。

学習ガイドや自己啓発書を本棚から取り出し、最初のほうのページを見ると、だいたい次のようなことが書かれています。

「効率的な研究をするためにまず取りかかるべきは、重点的に取り組む観点を絞り、研究や分析で扱う明確な問いを立てることです[*11]」

つまり、必要な最初のステップは「トピック（主題）選び」だということです。興味深いのは、これらにはだいたい「これは理想のプランであって、実際にはめったにこのようにはならない」というただし書きがついていることです。ごもっともですが、それが本当なら、なぜ現実的な行動を教えないのでしょうか。

トピックを決めるには、ひとつのトピックに関する文献だけではなく、大量の文献を読んでいなければなりません。何を読み、何を読まないかは、もちろん事前の理解に基づいています。それもまた、何もないところからは生まれません。

あらゆる知的な試みは、もともともっていた先入観に元づいて始まります。それが研究を重ねることで修正され、さらなる知的な試みの起点となり、またそれに対して研究がされ、循環していきます。これは、ハンス・ゲオルグ・ガダマーが「解釈学的循環」と呼んでいる現象です。（Gadamer, 2004）。

書き始める前にテーマを決めるのは無理

この修正の循環は大学でもよく教えられているのに、ものを書くときは「白紙から始めて、決められた順番にそって一直線に進めることができる」かのように教えられています。まるで、無からすぐれたアウトプットを生み出すことが可能であるかのようです。

書きはじめる前にテーマを決めるというのは、一見地に足のついたアドバイスに思えますが、解釈学的循環を踏まえると、間違っているか、あるいは陳腐なアドバイスです。

テーマに没頭するには、手を動かして書かなければいけません。書くことは、あらゆる営みに伴います。ペンを握って読み、アイデアを発展させ、成長しつづける思考のプールを自分の外に構築します。そしてそれは、自分の関心、好奇心、直感に導かれるべきです。

関心のある内容のメモを貯めておくと、自然に文章の主張が浮かび上がる

ツェッテルカステンは、実際に読み、考え、議論し、書き、アイデアを発展させる作業によって形成され、充実していきます。**関心のある内容に集中し、知的成長を記録することで、無理にひねり出さなくても問いや主張が資料から浮かび上がるようになります**。頭に浮かんだわずかなアイデアから絞り出さなくてよいので、トピックや研究上の問いを見つけることが簡単になります。

それだけではなく、ツェッテルカステンから生まれたあらゆる問いでは、アウトプットのための資料が自然に手元に揃います。

ツェッテルカステンのなかをチェックして、情報が集まっているところを観察すると、これから扱いうるトピックだけではなく、すでに取り組んだトピックもあります。すぐに見えるところになくても、必ず入っています。

私たちの前にあるのは白紙であってはならないはずです。そう考えて行動すれば、今後は文字どおり、二度と白紙からスタートすることはないでしょう。

きっと、白紙からスタートしていると信じている人も、本当に白紙から始めている

わけではありません。

しかし、この事実に気づいていなかったため、アイデアをたどることはできず、主張を支持する資料も手元になく、出典も整理されていません。書くことがここまでの作業に組み込まれていなかったため、まったく新しい状態から始めるか（これにはリスクがある）、アイデアをたどり直すか（これは退屈である）しなければなりません。

適切なメモのとり方が教えられることはめったにないため、ほとんどの文章術の本が、テーマを見つけるためにブレーンストーミングから始めるのをすすめるのは無理もありません。

ツェッテルカステンを使うと、書くことが多すぎて困るほどになる

書く前の準備で何も書いていなければ、頼るものはまさに脳だけです。脳だけに頼るのはあまりよい方針ではありません。客観的でもなければ、信頼性も低いからです。

アイデアは、文献を読み、議論をし、他の人に耳を傾けることから生まれます。これらの作業はすべて、書きながら実行することができます。そしてしばしば、書くこ

とによって改善されます。

これらは、従来の方法を見直しても解決しません。「書くことは順番通りに一直線でできる」という話そのものがつくり話だからです。賢くメモをとることは、この一直線のプロセスとたもとを分かつことです。書くことは一直線ではなく循環するプロセスだということを覚えておきましょう。

これを示す、信頼できるサインがあります。

それは、ツェッテルカステンを使うことで、書くトピックが見つからないという問題が、書くトピックが多すぎるという問題に変わることです。

書くことを通じて思考を発展させている人は、その時点で関心のあるテーマに引き続き集中できますし、やりたいことをやっているだけで大量の資料を蓄積できます。

最もよく振り返る問いを中心に資料が増えていくので、自分の関心から遠く離れてしまう心配がそもそもありません。最初に選んだテーマがそれほど興味深いものではなかった場合には、他のテーマに移りましょう。**そうすれば、メモは次のテーマのまわりに集まるようになります。**

場合によっては、最初の問いが興味を惹かなかった理由をメモに残しておき、それを公表できるほど価値のある洞察に変えられるかもしれません。

これを続ければ、書くテーマを決めるときが来た時点で、テーマはもう決まっています。それまでのすべての手順において、少しずつ改善しながら、毎日繰り返し決断を下しているからです。

Chapter 08

メモがあれば、大作も書ける

楽しくないと、仕事は続かない

仕事がはかどらないときは、エネルギーを次から次へとつぎ込まないといけませんね。でも、逆の場合もあります。一度ワークフローに入り込めると、弾みがついたかのように仕事そのものが自分を引っ張り、時にはエネルギーを与えてくれます。これこそが、私たちが待ちに待っているものです。

すぐれたワークフローは簡単に好循環に変わります。

好循環が生まれると、ポジティブな経験を積んだことで次のタスクに楽に取りかかれ、タスクに着手したことで上達でき、さらに仕事が楽しくなり、以下さらに続いていきます。

反対に、仕事への行き詰まりをしょっちゅう感じていると、やる気を失い、仕事を引き延ばすようになります。ポジティブな経験は少なくなり、締め切りを守れないといったおそれすらあります。失敗の悪循環におちいってしまうかもしれないのです(Fishbach, Eyal, and Finkelstein, 2010)。

外部のご褒美で仕事を進めようとすること（ひと区切りつくたびになにか楽しいことをするなど）は、やる気の出し方としては非常にもろいです。フィードバックの好循環を確立できません。仕事そのものにやりがいがあってこそ、やる気を自力で維持できるようになり、プロセス全体が前に進んでいきます (DePasque and Tricomi, 2015)。

並外れた成功を収めているフィットネスモチベーションコーチ、ミシェル・セガールという人物がいます。最も頑固な運動嫌いでさえも、熱心な運動好きに変える人間です。彼女は、エクササイズが大嫌いにもかかわらず、やらなければいけないと考えている人を、持続可能なワークアウトのルーチンに導くことで有名です。そのためには、たったひとつのことをします。つまり満足のいく、繰り返し可能なスポーツ体験をさせることに集中します。

クライアントが取り組むスポーツは、ランニング、ウォーキング、チームスポーツ、ジムでのワークアウト、自転車通勤など、多岐にわたります。唯一重要なのは、もう一度味わいたい「よい体験」を、クライアント本人が発見することです。

それが見つかったら、他のことにもチャレンジするようにすすめます。好循環に入れば、自然とやる気になるので、もはや意志の力は必要ありません。

もし、運動の「よい体験」なしに、家のソファーでゆっくりテレビを見るというご褒美を目当てに無理やり運動を始めたとしたら、そう遠くないうちに運動はやめてソファーに直行するようになるでしょう。人間とはそういうものだからです。

傷つくことを恐れず「客観的な意見をたくさんもらう人」が成功する

循環をないがしろにしてはいけません。

いい循環は、やる気に重要なだけではなく、あらゆる学習のプロセスの中心となります。

何かが上達する体験ができると、なによりも大きなやる気を与えてくれます。そして、上達するための唯一のチャンスは、タイムリーで具体的なフィードバックを得ることです。**フィードバックを避けるのではなく求めることが、学びたい、あるいは成長したい人のなによりの特長だと心理学者キャロル・ドゥエックは言います。**フィードバックをいいこと、悪いことを問わず積極的に歓迎することは、成功（と幸せ）の最も重要な要素のひとつです。

逆に、個人の成長にとって最大の障害は、「固まったマインドセット」をもつことです。

自分が大切にしているセルフイメージを傷つけまいとしてフィードバックを恐れ、避ける人は、短期的には気分がよいかもしれませんが、実際のパフォーマンスではたちまちまわりに置いていかれてしまいます（Dweck 2006; 2013)。

皮肉なことに、天才といわれてきた人のほうが、たくさんの賞賛を受けて育つので、固まったマインドセットを持ってしまい、行きづまってしまう危険性が高いです。行動を賞賛されるのではなく、ずば抜けた才能を賞賛されていると、新たな挑戦をしたり、失敗から学んだりする代わりに、イメージを維持することに集中してしまいます。

反対に学べる機会をできるだけ多く求めようとすることは、最も信頼できる長期的な成長戦略です。

ツェッテルカステンを使えば、小さな意見を頻繁にもらえる

しかし、終わった作業に対するフィードバックを数カ月に1回もらえるだけでは、いくらフィードバックを積極的に受け入れていても、たいして役に立ちませんよね。一般的な方法で、一直線に「書くこと」はフィードバックの機会がきわめて少なく、しかも期間も長いです（Fritzsche, Young, and Hickson, 2003）。フィードバックがかなり後になるので、その選択が正しかったかどうかは、プロジェクトが何段階か進むまでわかりません。資料で読んだ内容を理解できたかどうかや、自分の主張に筋が通っているかどうかも、同様に後にならないとはっきりしません。

いっぽう、ツェッテルカステンを使うと、多くのフィードバックを得ることができるため、作業中に改善のチャンスが生まれます。文献を読み、議論をし、他の人に耳を傾けてメモをとるため、少しずつフィードバックの機会があります。単純に、学ぶ機会が増えるだけではなく、そこでのミスを修正することも可能になります。これは、

書き上げた後にもらう大きなフィードバックよりも小さいため、恐怖もそれだけ小さく、受け入れるのも楽になります。

「それを本当に理解しているか」はメモでわかる

たとえば、ツェッテルカステンでは、自分の言葉でメモを書きます。そのためには、内容を理解していなければなりません。これは最もシンプルなテストです。

私たちは、自分の言葉で書いてみるまでは、読んだ内容を理解していると思いがちですし、これを行うと、内容を明確かつ簡潔に説明する能力も磨くことができます。アイデアを把握するスピードも上がります。もし自分をごまかして、意味がわからないまま文献メモに言葉を書き留めても、永久保存版のメモに書き直し、他のメモと関連付けようとしたときに気がつきます。

ものを書くすべての人にとって、内容を本当に理解しているかと、自分の言葉で表現することは、基本的な能力です。理解不足を自覚しなければ、その能力を底上げすることはできません。

それが上達すればするほど、簡単にすばやくメモをとれるようになり、また、さらに学習の経験を増やしてくれます。文章の要点を見分けるという重要な能力にも、同じことがいえます。**上達すればするほど、効率的に読めるようになり、たくさん読めれば読めるほど、多くを学べるようになります。**こうして、能力の美しい好循環に入るわけです。どうでしょう、メモをとるためのやる気がアップしませんか？

同様のことが永久保存版のメモにもいえます。ここにもまた別のフィードバックループが組み込まれています。

自分自身の考えを文章で表現すると、本当に考え抜いたかどうかがわかります。新しいメモをこれまでに書いたメモと結びつけようとした瞬間、ツェッテルカステンによって、矛盾、不整合、重複が明らかになります。

こうして組み込まれているフィードバックループによって、編集者や仲間、指導教官のフィードバックが不要になるわけではありませんが、ツェッテルカステンだけはいつでも利用でき、毎日欠かさず少しずつ、アウトプットと能力の向上に役立ってくれます。

さらに、自分が能力を上げているあいだに、ツェッテルカステンにも知識が貯まっていきます。そして、ツェッテルカステンが成長すればするほど有用になり、新たなつながりを見いだすのが楽になるのです。

メモの量が多くなればなるほど新しい洞察を生む

ツェッテルカステンは、単なるメモのコレクションではありません。

ツェッテルカステンのすごさは、メモの保存よりも、関連するものが何かわかること、そしてアイデアが混ぜ合わされて洞察が生まれることです。

ツェッテルカステンに入っているメモの量が多くなればなるほど、役に立つ度合いも高まっていきます。

さらに、ツェッテルカステンのなかは非常に複雑に絡み合っているので、何かを探そうとすると、予想外に関連のあるメモが出てきます。ここで非常に大きな差がつき、また時間がたてばたつほど価値が出ます。中が充実すればするほど、新しいメモをうまい方法で追加したり、役に立つアドバイスを受けたりすることも容易になります。

私たちの脳も、連携という点で似たような働きをします。

現代の研究では、脳はつながりのある情報をもっていればもっているほど、新しい情報を古い情報に結びつけることができ、多くを覚えられることが知られています。

関連性のない単独の事実を記憶する能力には限界があり、年齢とともに衰えるものとされています。しかし、事実をそれに関係するネットワークとうまくつなげてさえおけば、情報の理解はより容易になることがわかっています。

そのおかげで、学び、覚えることが容易になるだけではなく、あとで必要なときに、必要な文脈で情報を想起しやすくなるのです。

Chapter 09

メモをとることは「考え」「覚える」教養にもなる

現代人の注意力は低くなっている

ある研究によると、メールやテキストメッセージによる割り込みによって、私たちの生産性は約40％低下し、10以上低いＩＱしか発揮できなくなっているそうです。この研究は出版されておらず、統計学的にも不適切ですが、たしかに私たちがうすうす気づいていることを裏づけるように思えます。それは、私たちの注意機能には欠陥があるということです。

同じようなことを調べたきちんとしている研究もあります。たとえば、テレビを見ると子供の注意持続時間が低下することがわかっています（Swing et al., 2010）。また、テレビのニュースでの著名人の発言などの抜粋（サウンドバイト）は、ここ数十年で平均の長さが着実に短くなっています（Fehrman, 2011）。

１９６８年の米国大統領選挙では、ノーカットで流された候補者の発言の長さは平均で40秒を少し上回る程度でしたが、１９８０年代の終わりには10秒を切り（Hallin, 1994）、２０００年には７・８秒になっていました（Lichter, 2001）。最近の選挙でも、この傾向はもちろん逆転していません。

この研究結果が、人間の短くなった注意持続時間にメディアが合わせているという意味なのか、はたまたメディアが注意時間の短縮を引き起こしているという意味なのかはわかりません[*12]。

いずれにしても、気を散らすものが周囲に増えていることと、注意持続時間を鍛える機会が減っていることは明らかです。

マルチタスクは、そもそも人間にはできない

ふたつ以上のことを同時にしたいという欲求に駆られることがあります。つまり、一度に複数の作業、マルチタスクをしたくなるわけです。

マルチタスクは、現代に対応する最も重要なスキルだと考える人もいます。また、若い世代のほうがマルチタスクにすぐれているとも信じられています。注目を常に引くＳＮＳなどのメディアのなかで育つと、そのような能力が自動的に身につくと考える向きさえあります。

マルチタスクを多くこなしていると主張する人は、マルチタスクが得意だとも主張する、という研究もあります。

こうした研究で聞き取り調査の対象になる人々は、マルチタスクによって生産性が落ちているとは考えておらず、むしろ上がったと考えています。しかし、このような主張をする人のなかに、そうではない人と比較してみずからをテストしている人はあまりいません。

マルチタスクを実践する人たちにインタビューした心理学者は、聞き取り調査だけ

ではなく実験も行いました。さまざまなタスクを与え、その結果を、同じタスクをひとつずつこなすように指示した群と比較しました。

結果は明らかでした。マルチタスクをしていた人は生産性が向上しているように感じていましたが、実際には生産性が大幅に低下していたのです（Wang and Tchernev 2012; Rosen 2008; Ophir, Nass, and Wagner 2009）。やり遂げた内容の量だけではなく質の面でも、マルチタスクをしていない群より大幅に劣る結果となりました。

特にメールを書きながら運転するなどの実験では、マルチタスクの欠点は痛ましいほどはっきり現れました。しかし、これらの研究で最も興味深いのは、作業の生産性と質が下がることよりも、「マルチタスクをやればやるほど生産性がさらに下がる」ことでした。

この結果は驚きです。ふつうはやればやるほど生産性が高いと思うからです。

しかし、よく考えると、これは筋が通っています。マルチタスクをしていると思っているときは、実際にはふたつ（以上）のことのあいだで注意をすばやく切り替えているからです。1回切り替えるたびに、集中力を取り戻す瞬間が遅くなります。マルチタスクでは、疲れが溜まり、複数のタスクを扱う能力も下がってしまうのです。

「書く」ことには「集中」と「持続的な注意」とふたつ必要

さて、なぜ私はこの説を紹介したのでしょうか。

それは、「書く」という一言に集約されていることには、たくさんの作業があるからです。意識的かつ実践的に分けて考えなければ、複数の作業を同時にこなす羽目になってしまうからです。

執筆には、キーボードを叩く以外に、読書、理解、熟考、発想、つながりの構築、用語の区別、適切な言葉の模索、構成、整理、編集、修正、リライトなど、さまざまな作業が伴います。

これらすべては単に異なるタスクだというだけではなく、必要な注意力も異なります。

必要なのは「集中」と「持続的な注意」です。

集中は、ひとつのことにのみ注意を向けることで、数秒しか持続しません。集中の最大時間は、時代とともに変化していないように見受けられます（Doyle and Zakrajsek 2013, 91）。

一方、「持続的注意」は、長い期間にわたってひとつのタスクに集中することです。これは、学ぶため、理解するため、あるいは何かをやり遂げるために必要です。これこそが、気を散らすものが増えたことで最も脅威にさらされているタイプの注意です。持続的注意の平均持続時間は、時代とともにかなり短くなったとみられています。

しかし、人間は訓練によって、ひとつのことにより長く集中できるようにすることができます。

そのためには、マルチタスクを避け、気が散るものを取り除き、文章を完成させるのに必要な異なる種類のタスクをできるだけ分離して互いに干渉しないようにする必要があります。

しかし、ツェッテルカステンは、短いメモの集合ですので、妥当な時間でいまのタスクを終えてから次に進めるように、注意の切り替えが自然とできます。

「書く場合」と「校正する場合」の作業は全然違う

「書く」という言葉の下にまとめられてしまった、さまざまなタスクについてよく考えてみましょう。少し考えるだけで、どれほど互いに異なるか、そしてどれほど異なる注意が必要なのかが明らかになってきます。

たとえば、校正も書くプロセスの一部ですが、執筆とはまったく異なる脳の状態が必要です。原稿の校正には、一歩引いて、冷静な読者の目で文章を眺める批評家の役割が求められます。

誤字脱字を探し、文章がスムーズに流れるようにし、構成をチェックします。文章から意識的に距離をとり、自分の頭ではなく紙に実際に書かれている内容を確認します。自分がいおうとした意図を頭のなかから排除して、何を書いたかを見て取るのが大切です。

もちろん、公平な読者そのものにはなれませんが、論理の穴や、自分には説明する必要がないので説明を省いてしまった部分など、それまでに見えなかったことの多くを見つけるには十分です。

批評家の役割と著者の役割を切り替えるには、これらふたつのタスクをはっきりと分離する必要があります。これは経験とともに上手になります。

著者としての自分から十分な距離を取らずに原稿を校正した場合、実際の文章ではなく自分の思考しか見えなくなってしまいます。

主張の問題点、不適切に定義された用語、単なるあいまいな文章などを指摘すると、執筆者はだいたい真っ先に自分の意図を説明します。しかし、書き上がった文章の前では自分の説明など何の意味もないと腑に落ちて、ようやく書いた内容に注意を向けるのです。

文章上手は、しかるべきタイミングまで「校正」をしない

いっぽう、批評家としての自分が、著者としての自分を邪魔する場合もあります。著者の立場になるときは、自分の思考に集中しなければなりません。文章がまだ完全ではないといって批評家がしょっちゅう途中で出しゃばっていたら、何も書けなくなってしまいます。

まず自分の思考を紙に書いてから、紙の上で高める必要があります。難しいアイデアを頭のなかだけで一直線の文章に変えるのは、かなり困難です。

自分のなかの批評家をただちに満足させようとしていたら、ワークフローが完全に止まってしまうでしょう。

どんなときでも完成された出版物のように文章を書く極端な遅筆家を、「完璧主義

者」と呼ぶことがあります。プロ意識を賞賛する響きのある言葉ですが、そうではありません。本物のプロフェッショナルは、一度にひとつの作業に集中できるようにするために、しかるべきタイミングまで校正を保留します。

校正には集中が必要とされるのに対し、執筆の言葉を探すには、持続的注意がより必要になってきます。

原稿の構成は、印刷して目の前に置いておく

執筆中に言葉を探すには、文章の構成について考える必要がないほうが楽です。ですので、原稿のアウトライン（構成）は印刷して目の前に置いておきましょう。文中の別の場所で扱うのでいまは書く必要がない内容を、きちんと把握しておくのも大切です。

アウトラインの作成や変更も、執筆とは異なるスキルが必要です。これは、思考ではなく、主張全体の把握です。

原稿の構成も自然にできる

ここで重要なのは、アウトラインの作成は、執筆の準備でもなければ、計画ですらないと理解することです。**アウトラインの作成も、独立したタスクです。**ツェッテルカステンでアウトラインをつくる場合、アイデアをいろいろと組み合わせて、興味を惹かれるつながりや比較を探しましょう。

塊をつくり、他の塊と組み合わせ、あるプロジェクトにおけるメモの順番を決めます。メモをパズルのように組み合わせて、最適な順番を見つける必要があります。これは他と比べて連想力を駆使し、楽しく、クリエイティブな作業で、ここにもまったく別の種類のスキルが必要になります。

できあがった構成のチェックは常に必要ですが、じつはこれも、ツェッテルカステンでボトムアップから作業していれば、必然的に何度も変更になります。メモのつながりを見ながら、構成を変える必要が生じるたびに、一歩引いて全体像を眺め、必要な変更を加える必要があります。

もちろん、資料などを読むこともまた違った作業です。

読むこと自体、テキストに応じてまったく異なる種類の注意が必要になります。

ゆっくり注意深く読まなければならないテキストもあれば、斜め読みで構わないテキストもあります。

多くの読書術本や速読コースで説かれているような、画一的な公式に従ってあらゆるテキストを同じように読むやり方はナンセンスです。ひとつのテクニックを身につけて状況を問わずその方法に執着するのではなく、テキストの求める速度やアプローチに読み方を柔軟に合わせるのがプロフェッショナルです。

まとめると、書くことには、実に幅広い種類のスキルが必要です。書く技術をマスターするには、その時々に応じて必要なスキルと集中を利用できるようにならなければなりません。

クリエイティブな人とは、「集中」も「持続的な注意」も両方できる人

かつては、より「持続的な注意」は、芸術のようなクリエイティブな仕事にのみ必要であると考えられていました。しかし、現代では、どんな仕事でも「集中」と「持

続的な注意」と、2種類の注意が必要であるとわかっています。

心理学者のオシン・バルタニアンは、ノーベル賞受賞者やその他の著名な科学者の毎日のワークフローを比較分析し、彼らの際立った特徴は、飽くなき集中力ではなく柔軟性を保った集中力であると結論づけました。

「有名な科学者の問題解決をしようとする行動は、特定のものへの卓越した集中力と、遊び心あふれるアイデア探求のあいだを行き来することができる。このことは、すぐれた問題解決が、そのタスクへの柔軟な戦略応用の働きである可能性を示す」(Vartanian, 2009)

こうした研究は、クリエイティブな人々を研究する心理学者に答えを与えました。

「とりとめがなく、集中力散漫で、子供のような心をもった人々が最もクリエイティブであるように思えるいっぽうで、分析と応用も重要であるようにも思える。この謎の答えは、クリエイティブな人々は両方を兼ね備えている必要がある、というものだ(中略)創造力の鍵は、大きく開かれた遊び心と、狭い分析的な枠組みを切り替えられることなのである」(Dean, 2013)

しかし、こう答えるためには重要な条件があります。**それは、そもそも柔軟になることが可能なしくみが大切だということです。**

柔軟になるには、あらかじめ考えた計画からそれても崩壊するようなことのない、柔軟な作業構造が必要です。融通の利かない整理法にとらわれていたら、作業の柔軟性に関してすばらしい洞察をもっていたとしても役に立ちません。

残念ながら、これまで、最もいい方法は計画を立てることだとされてきました。計画を立てることは、ほとんどの書籍で推奨されていますが、それは自分をレールに載せるのと同じです。

どの仕事が重要なのかは、何度もやってみて体で覚えるしかない

人間は、計画を立てるのをやめた瞬間、学習しはじめます。洞察を得て、すぐれた文章を書けるようになるには、実践あるのみです。

そのためには、文章を完成させるというゴールに必要な、特に重要で見込みのあるタスクを選び、またそれらのタスクのあいだを柔軟に行き来できるようになる必要があります。

これは、自転車の補助輪を外して、正しい乗り方を学習しはじめる瞬間に似ています。最初は少し不安に思うかもしれませんが、同時に、補助輪が付いたままでは永遠

に自転車には乗れません。

エキスパートは、体で覚えた経験によって名人の域に達しています。どのタスクが完成原稿に近づけてくれ、どのタスクが単なる脇道なのかを判断する直感が身についています。

これに、例外なく適用できる簡単なルールはありません。プロジェクトはそれぞれ違います。自分が進めているプロジェクトの各段階において、読んで研究する、文章を見直す、アイデアについて議論する、原稿のアウトラインを変更するなど、最適な作業は異なります。どの段階でも、「無意味なアイデア」や「矛盾の可能性」に気づいたり、「どの脚注はフォローしなくていいか」などを判断できる、例外なきルールはありません。

エキスパートになるには、みずから判断し、さまざまなミスをして学べるだけの自由が必要です。自転車と同じで、実践でしか学べないのです。

「この情報が大事だ」という直感力もメモで養える

ツェッテルカステンを使うと、さまざまなシチュエーションで自然に十分な経験を積めます。今の状況に応じて、どんな行動をすればいいのか直感でわかるのです。**複雑な状況における意思決定は、長い理論的分析があって生まれるのではなく、直感で行われます**（Gigerenzer, 2008a, 2008b）。

ここでいう直感とは、神秘的な力ではなく、経験が積み重なった歴史です。成功または失敗に関する数多くのフィードバックループを通じた、実践が蓄積したものです[*13]。科学のような理性的、分析的な探求でさえも、専門性、直感、経験なしでは機能しないという研究結果もあります（Rheinberger, 1997）。チェスの棋士は、初心者よりも考えていないように見えます。パターンを認識し、何手も先を計算しようとするよりも、過去の経験に従うからです。

プロのチェスと同様に、プロの書き手としての直感は、度重なるフィードバックと経験によってのみ得られます。

ツェッテルカステンのワークフローは、執筆の各段階で何をするかを明確には教えてくれません。しかし、完成に必要なジャンルの違うタスクを分離することは教えてくれます。それぞれの執筆タスクは妥当な時間内に完了でき、連動するタスクを通じてただちにフィードバックが得られるようになっています。

このように、ツェッテルカステンは意識的な実践の機会を与えるので、それぞれのタスクの上達が促されます。そうすれば、経験を積めば積むほど、直感に頼って次の行動を選べるようになります。

状況を正しく直感的に判断するための経験を積み、これまでの文章術の本とは永遠にお別れしましょう。真の専門家は計画を立てない。フライフヨルグははっきりとそう書いています（Flyvbjerg, 2001）。

脳を「記憶」で占めてしまうと、考えるための容量が減る

私たちのリソースのなかで限界があるのは、注意だけではありません。記憶にもまた、限界があります。

記憶には、短期記憶と長期記憶がありますが、大量の情報を扱って文章を書くのですから、特に短期記憶の容量を無駄にしないための戦略が必要です。

長期記憶の容量については、心理学者によって推定にかなりの幅があり、やや憶測を含む状態です。ただ、短期記憶の容量については、少し前まで心理学者のあいだで非常に具体的な数値で一致していました。短期記憶に保持できる情報の数は7プラスマイナス2個、つまり一度に覚えられる量は、5〜9個だというのです（Miller,

1956）。

情報は、ＵＳＢメモリーのようにすべて脳に保存できるわけではありません。そうではなく、脳内をいわば漂流して貴重な脳の資源を占有したのち、忘れられるか、もっと重要な（と脳が判断した）別の情報に置き換えられるか、長期記憶に移動されます。

買い物リストの項目など、何かを覚えておこうとするとき、その項目は脳内でひたすら繰り返され、あとで呼び出せるように脳のどこかに一時的に保存されます。そして、脳の容量をとるので、そのあいだ別のもっと興味深いことを考えられるわけではありません。

でも、記憶の達人はどうなのでしょう。記憶術を使えば、覚える情報の数を少しではなく大幅に増やせるような気がするかもしれません。しかし、記憶術を使っても実際には、情報を最大で約7個の意味のある塊にまとめて覚えているだけなのだそうです（Levin and Levin, 1990）。

最近では、別の研究もあります。それは、以前の実験の参加者はすでに情報を塊にまとめていただけだというもので、短期記憶の最大容量は7プラスマイナス２ではなく、４つぐらいだというものです（Cowan, 2001）。

次の数字の羅列を1回だけ見て、すぐに覚えてみてください。

1 1 9 5 8 2 1 9 6 2 3 1 9 6 6 4 1 9 7 0 5 1 9 7 4

明らかに7桁より多いので、難しいですね。しかし、これがワールドカップの開催年で、連続した5回を並べているだけだと気づけば、とても簡単になります。覚える必要のある情報は、7個よりもずっと少なくなり、法則と、最初の年だけです[*14]。

「思い出す」ことは、理解していないとできない

このように、理解していない内容よりも、理解している内容を思い出すほうがずっと楽です。学習と理解のどちらか片方に集中することを選ばなければいけないということはありません。

思い出すとは常に、理解することです。私たちが理解する内容は、法則、理論、物語、純粋な論理、メンタルモデルなどいろいろなものがありますが、それらは、説明などを通じてつながっています。そうやって、物事を記憶しているのです。

メモを入れる際には「問い」が重要

そのような意味のあるつながりを、自分の脳の外に意識的につくるのが、ツェッテルカステンの目的です。
メモのあらゆるステップには、問いが伴っています。

この事実は自分のこのアイデアとどう整合するか？
この現象はあの理論でどう説明できるか？
ふたつのアイデアは互いに矛盾するか、互いを補っているか？
いま聞いた内容は以前に聞いたことがなかったか？
そしてなにより、メモyについてメモxはどういう意味か？

こうした問いは、理解を深めるだけではなく、学習も促進します。アイデアや事実に対して意義のあるつながりをつくっておけば、思い出すのは難しくありません。

やっていることが完了するまでの間は ずっと脳の容量を占めている

いくつかのことはできるだけ長く覚えておきたいものですが、無関係な情報で脳を目詰まりさせたくはありません。そして、毎日情報を整理すると、長期的記憶だけでなく短期的記憶にも大きな差がつきます。

ここで、ソ連の心理学者ブリューマ・ゼイガルニクのすばらしい洞察と観察をご紹介しましょう。

逸話によれば、ある日ゼイガルニクは同僚とともに昼食に出かけました。その店のウェイターが、注文をした人とその内容をメモもとらずに覚えていたことに、彼女は大変感銘を受けました。しかし、たまたまジャケットを忘れたのでレストランに戻らなければならなくなりました。

すると驚いたことに、たった数分前にあれほど尊敬の念を抱いたはずのウェイターは、彼女のことを覚えてすらいなかったのです。矛盾に思えたのでウェイターに聞いてみると、次のような説明が返ってきました。私たちは皆、問題なく注文を覚えて、着席したゲストと結びつけることができます。しかし、ひとたび客が帰ると、帰った人を完全に忘れ、次のグループに集中するのです、と。

この逸話が、いまではゼイガルニク効果、あるいはツァイガルニク効果と呼ばれる法則のもととなりました。**それは、完了していないタスクは、完了するまで短期記憶を占有する傾向がある、というものです**。

これが、終わっていないタスクがあると、そのタスクの重要性にかかわらず、たやすく気が散ってしまう理由です。

しかし、ゼイガルニクの追跡調査のおかげで、タスクを実際に終わらせなくても、脳がタスクについて考えるのをやめさせることができるということもわかりました。

やるべきことはひとつです。

それは、「このタスクはあとで対応する」と脳が確信できるようなかたちで書き留めることです。

そう、脳は実際に完了したタスクと、メモをとって後まわしにしたタスクを区別しません。書き留めることで、脳から文字どおり追い出すことができます。

すべてを一気に済ませることができない以上、細かい心配を取り除く唯一の方法は、信頼に足る外部システムを構築することです。

ツェッテルカステンを用いた作業でも、同じことが言えます。今のタスクに集中するには、貴重な脳のリソースがむだづかいされないようにする必要があります。

全体から考えて小さな問題に落としていけば早く結果が出る

そのためには、これまでご紹介した「書く」という漠然としたタスクを、それぞれ作業がしやすくなる異なる小さなタスクに分割したあとに、**それぞれのタスクについてどう思考を巡らせたという結果も、必ずメモとして書き留めましょう。**これには、あるメモを見て、さらなる問いが生まれた場合にもそれを書きます。

各タスクの思考の結果が書き留められていて、可能性のあるつながりが目に見えるようになっていれば、作業について四六時中覚えていなくても、中断したところからいつでも戻ることができます[*15]。

ほかに、後まわしにした作業として残りがちなのは、未回答の問いや、他のメモとのつながりです。また、「この章を見直し、冗長な内容をチェックする」といった明確なリマインダーのかたちでプロジェクトフォルダーに格納されているタスクもあります。

また、ノートに走り書きしたまま消されていないメモや、文献管理システムに保管されていない文献メモなど、永久保存版メモに書き直す作業がまだ終わっていない場合もあります。

ツェッテルカステンでは、まだ作業が残っていることをずっと覚えておかなくても、中断したところからタスクを再開できます。すべてが外部化されていることは、書いて考える方法の重要なメリットのひとつです。

シャワーや掃除の間に答えが見つかる場合が本当にある

逆に、ゼイガルニク効果を利用して、未解決の問いを頭のなかにあえて留めておくこともできます。

つまり、仕事や研究と関係のない作業（集中する必要のない作業が理想）をしているあいだは、未解決の問いが反芻できます。

思考に集中しないままなんとなく考えを巡らせていると、普段と異なる方法で、脳が問題を処理する機会が生まれます。

散歩しているあいだやシャワーを浴びているあいだ、あるいは屋内を掃除しているあいだ、脳はつい、まだ解決していない問題をこねくり回してしまいます。だからこそ、思いがけない状況で答えが見つかることがよくあるのです。

脳の働きに関するこれらの小さな洞察を考慮すれば、机の前に座っているときに、スーパーで何を買うかといった思考に気を取られることがなくなります。

それどころか、用事を済ませながらでも、重要な問題を解決できる可能性が出てくるのです。

メモがあれば、アウトプットへの道筋が生まれてやる気も生まれる

最大７つの情報しか保持できない短期記憶に続いて、制限のあるもうひとつのリソースは、やる気、意志力です。

ここでは、ワークフローの環境設計によって大きな差が生まれます。ツェッテルカステンとの密接な連携が、どんな洗練された計画よりはるかにすぐれているのは、もはや驚くことではありません。

非常に長いあいだ、意志力は性格的なものだと考えられてきました。しかしいまや、

これは変わりました。現代では、意志力は筋肉みたいなものだと言われます。すばやく枯渇して、回復に時間を必要とする、脳の有限のリソースだというのです。すでにもう優れたルールがある作業環境にいる方が、私たちの注意、集中、意志にとって負担が少ないということは言い切れるでしょう。意思決定は、最もやっかいで疲れる作業に属するからです。

バラク・オバマやビル・ゲイツのような人物が、スーツの色を濃紺とダークグレーの2色に絞っているのはそのためです。**毎朝行う意思決定がひとつ減れば、本当に重要な意思決定のために、多くのリソースが残せます**。

私たちも必要な意思決定の量を大幅に減らすことができます。

内容に関連する意思決定（ひとつの記事のなかで重要性の高い情報と低い情報、メモ同士のつながり、テキストの構造など）は必ず行う必要がありますが、メモ全体の整理に関する意思決定は、ひとつのシステムに決めることによって、あらかじめ一度だけ決断すればすみます。

つまり、走り書きのメモを書き留めるためにいつも同じノートを使い、同じ方法でテキストからおもなアイデアを抽出し、常に同じような永久保存版メモに仕上げ、同じように扱っていれば、仕事における意思決定の数をかなり削減できます。そうすれば、問題解決などのもっと有用なタスクに、脳のエネルギーをはるかに多く向けられます。

休憩をとると、また脳のリソースをあけることができる

休憩は、単なる回復のチャンスではありません。学習に欠かせないものです。休憩をとることで、脳の情報を処理し、情報を長期記憶に移動して、新しい情報のために脳をあけることができます（Doyle and Zakrajsek, 2013）[*16]。

熱意から来るものであっても、いまやっていることを忘れる恐怖から来るものであっても、作業の合間に休憩をとらなければ、全体によからぬ影響が及ぶおそれがあります。

散歩（Ratey and Hagerman, 2008）や睡眠も[*17]、学習と思考に貢献します[*18]。

また、ツェッテルカステンにより、作業をちょうど中断したところから再開できるようになると、注意力の回復に役立つもうひとつの嬉しいメリットも享受できます。

それは、流れを失わずに休憩をとれることです。

Chapter 10

読書メモは、自分の言葉で書こう

「読むときはペンを手にもって、普遍的と思えることや、有用になりそうなことの短い手がかりを小さなノートに書き込むことをすすめたい。これが、脳裏に焼き付ける最善の方法だからである」

——ベンジャミン・フランクリン[*19]

読んだことを書いたメモが、あなただけのアイデアになる

ツェッテルカステンの作業の中では、何かを読んだときに書くメモも、とても大切です。「文献メモ」のコツをここでは紹介します。

文献メモとは、読書メモや書誌情報のことでしたね。このメモを元にメインのツェッ

テルカステンのメモをまたつくりますが、文献メモ自体も、文献専用のツェッテルカステンをつくってそのまま保存していました。

読んだ内容を理解し、それをツェッテルカステンのなかでかたちになっている自分の思考の、さまざまな文脈に当てはめることができれば、**他の人の発見や思考を自分自身の新たな発見や思考に変えることができます**。

ツェッテルカステンのなかの一連のメモは、主張になります。その主張は、あなたの頭のなかにある理論やアイデアによって形づくられます。

その頭のなかにある理論やアイデアは、あなたが読んだ本の内容によってひらめくことがあります。また、それらはツェッテルカステンが提示する驚くべきつながりによって、常に変化し、内容を問われます。つまり、双方向なのです。ツェッテルカステンの中身が豊かになればなるほど、自分自身の思考も豊かになります。いわば、自分の知的成長と足並みを揃えて成長する、アイデア製造機です。

ツェッテルカステンとタッグを組めば、これまでは分けて考えられていた、あるいはまったく関係ないと思われていた複数の事実を、互いにつながりのある新しいアイデアに変えることができます。

ツェッテルカステンから最終原稿へのステップはとても素直です。

内容は十分に深い意味があり、考え抜かれ、多くの場合はすでに巧みなつながりをもつ流れに配置されています。

そのあとはメモを順番に並べるだけです。

メモ自体は単独でも理解できるように書かれていますが、文脈に組み込むと意味が豊かになるようにもなっています。ツェッテルカステンを利用した原稿執筆は、機械的な作業というよりも、ツェッテルカステンとの対話に近いものです。

したがって、違う文脈で同じメモを使ったとしても、決して他の作業のコピーにはなりません。

文献メモは「元の本の意味をできるだけ忠実に」あなたの言葉で書き留める

ペンを手にもって読んだ結果は、どんなアイデアになるか、決して予測できません。ここでも、重要なのは読んだものをコピーすることではなく、読んでいるテキストと意義のある対話をすることです。

あるテキストから私たちがアイデアを抜粋するとき、それは、もちろん、他人の理論の一部であるアイデアであり、特定の主張を裏づけるものです。

だからこそ、これらのアイデアは、自分自身の思考、つまりツェッテルカステンのなかにある別の文脈に組み込む前に、自分自身の言葉に翻訳しなければなりません。**ここでいう翻訳とは、元の著作の意味をできるだけ忠実に別の言葉で説明することです。**他の文脈に合わせて自由に変えてよいわけではありません。

また、ただ言葉を書き写すだけでは、たとえ文言を変えなくても文脈の外に引っ張り出されることで、ほとんどの場合、意味合いが変わってきます。言葉を書き写すだけに終わってしまうのは、初心者によくある失敗です。アイデアのパッチワークにはなりますが、首尾一貫した思考には決してなりません。

文献メモは、書誌情報とともに文献管理システムに格納されるものでしたね。ツェッテルカステンとは独立し、読んだ元のテキストの文脈に近い内容になりますが、それでも、あなたのツェッテルカステンに入っている思考の流れを意識して書かれます。

ルーマンはこの手順を次のように説明しています。

「私はいつも手元に紙を用意し、そこに読んだ本の何ページかのアイデアをメモする。裏面には書誌情報を書く。読み終わったら、メモをひととおり確認して、すでにツェッテルカステンに入っているメモとどう関連しうるかを考える。つまり、ツェッ

テルカステンとどう関連するかを常に念頭に置いて読むということだ」(Luhmann et al., 1987)

文献メモをどのくらい詳しく書くかは、テキストの内容と利用目的によってかなり変わってきます。

また、自分自身の簡潔にまとめる能力やそのテキストの複雑さによっても違います。文献メモは、テキストを理解し、把握するためのツールでもあるので、本の内容が難しければ詳しいメモを書いた方がいいし、やさしければキーワードをいくつか書き留めるだけで十分です。

じっくり考えて自分の言葉で書くと、それがアイデアになる

ルーマンはもちろんメモ術の極みに達していたので、ごく短いメモで満足し、それでも元のテキストの意味を曲げないで価値のあるツェッテルカステン用メモに書き写すことができました[*20]。

論述の核心をすばやく見いだして説明できるようになるには、理論が頭のなかで幅広く絡み合っていることが重要になります (Rickheit and Sichelschmidt, 1999)。

新しいテーマを探求するときに、メモは長くなる傾向がありますが、長さについては気にする必要はありません。理解を省略することはできないからです。難しいテキストをゆっくりと読み進まなければならないときもあれば、1冊の本全体を1文にまとめれば十分なときもあります。

重要なのは、これらのメモが次のステップ、つまり実際にツェッテルカステンに入れるメモを書き上げる際に役立つかどうかだけです。

そして、最も役立つのは、読んだテキストの枠組み、理論的背景、方法論的アプローチや観点についてじっくりと考えることです。**そのためには、本の中で言及されていることと同じぐらい、言及されていないことについても熟考する必要があります。**

ほとんどの人は、このような文献メモのとり方をせず、十分に体系的でないか、過度に体系的なメモをとってしまいます。最もありがちなのが、間違った方向に体系化されているメモです。内容を問わず、すべてのテキストを同じように扱ってしまうのです。

文献メモでよくする失敗は、まず、メモをメインのツェッテルカステンに入れるといった明確な目的を持たず、漠然とメモをとってしまうことです。目的がなければ、メモをとることも、大きなプロジェクトのための重要なステップではなく、面倒な作業に感じてしまいます。

また、きちんとした意図をもって長い引用文を書く場合もありますが、これは大変なので持続しません。

大切なことはメインのツェッテルカステンのなかに有用なメモを蓄積することのみです。そう考えると、どのようにして読み、どのようにして文献メモをとるかという明確なイメージが得られます。

文献メモとは、重要な唯一のこと、つまり実際のツェッテルカステンに価値を与える永久保存版メモをつくるための手順でしかありません。

永久保存版のメモを作成するときの参考として、自分なりのテキストの理解をとらえるための文献メモをとるのです。

文献メモは短く、永久保存版のメモに役立つように書くものです。

また、文献メモから永久保存版のメモを手書きする場合、必ず1カ所に集め、「著者名　発行年」でアルファベット順や五十音順に並べましょう。そうすれば、文献管理システムに入っている書誌情報と簡単に照合できます。

手書きでメモをとったほうが、理解は深い

文献メモを〈Zotero〉に直接入力して、書誌情報とともに保管することもできます。

でも、手書きでやりたくなるかもしれません。手書きのほうが理解を深めるということが、いくつかの異なる研究でも示されています。

ある興味深い実験では、ふたりの心理学者が、講義に参加する学生がノートを手書きでとった場合と、ノートパソコンに入力した場合とで違いが生まれるかどうかを調査しました（Mueller and Oppenheimer, 2014）。

研究では、学生が覚えておける事実の数には違いを見いだせませんでした。しかし、講義内容の理解という点では、手書きの学生がはるかにすぐれていました。1週間たってからも、この理解度の違いははっきり測定可能でした。

これは秘密でもなんでもなく、説明はきわめて簡単です。

手書きは遅く、電子形式と比べて訂正に時間がかかります。学生は講義の内容をすべて書き留められるほど速く書けないので、細部ではなく主旨に集中するしかなくなります。講義の主旨をメモするには、そもそも内容がわかっていなければなりません。

したがって、手書きの場合は、聞く内容（または読む内容）について考えざるをえません。そうしなければ、主張の根本にある原則、アイデア、構造を把握できないからです。

手書きだと、完全なコピーができない代わりに、聞いた内容あるいは読んだ内容の自分の言葉への翻訳が促されます。

ノートパソコンを使った学生は手書きよりずっと速く入力できるので、講義そのものはより忠実に写し取ることができましたが、真に理解することはできなくなっていました。メモの完全性に気をとられてしまったのです。

言葉そのままのメモは、あたかも言葉が脳を迂回して耳から手に直接伝わるかのように、ほとんど何も考えずにとることができてしまいます。

人間の「見たいものしか見ない」バイアスは、いいアウトプットの妨げになる

メモをとる際、賢い「選択力」も同じぐらい重要です。

残念ながら私たちの脳は、情報の取捨選択がもともとあまり得意ではありません。

私たちは自説に反している、自分の考え方に異論をつきつける主張や事実を探すべき

です。しかし、すでに自分がわかっていると思っていることを裏付けてくれる、気分がよくなる説に自然と惹かれます。ある仮説を採用すると決めたその瞬間から、脳が仮説を裏づけるデータを求めて周囲を検索してしまうのです。これを確証バイアス[*21]といいます。

これは、学ぶにもよい方法ではありません。さらに悪いのは、私たちはたいてい人生にひっそりとつきまとうこの確証バイアスに気がつきすらしないことです。

人間はどういうわけか、似たような価値観の人たちに囲まれる傾向があります（もちろん、意図的にではありません。人は自分の好きな相手と過ごします。なぜ好きになるのでしょう。そう、自分と似たような価値観をもっているからです）。

すでにわかっていることを裏付けるような出版物をたまたま読む傾向もあります（もちろん、意図的にではありません。私たちは知性あるすぐれたテキストを読もうとします。どうして知性あるすぐれたテキストだと思うのでしょう。そう、自分にとって筋が通っているからです）。

私たちは辺りを見回し、主張の誤りを示す事実を、気がつかないうちに無視してしまっています。それは、自分の気分によって、同じ町にいるのに幸せそうな人しか見えなかったり、憂鬱そうな人しか見えなかったりすることによく似ています。

こういった、自分の考えを支持するような情報ばかりが目についてしまう確証バイアスは、とらえがたく、それでいて大きな力です。

心理学者のリチャード・ニッカーソンは次のように述べます。

「人間の論理的思考について、なによりも最優先で注意すべき問題点をひとつ挙げるなら、確証バイアスは、検討すべき候補に入るだろう」（Nickerson 1998）

自分の論に批判的な主張は、いい文章に不可欠

一流の科学者や思想家も、確証バイアスからは逃れられません。

どこで差がつくかといえば、一流の人物はこの問題を認識し、対策しているということだけです。私たちがロールモデルとするべきなのは、チャールズ・ダーウィンでしょう。

ダーウィンは、自分の理論に特に批判的な主張を書き留める（つまり自分の言葉で説明する）ことをみずからに課していました。

「私は（中略）長年にわたって、ある黄金のルールに従っていた。それは、公表された事実、新たな観察結果や思考のうち、私が出した結果に大枠で反するものに出会う

と、欠かさずすぐにメモするというものだ。というのも、そうした事実や思考は自分に有利なものよりも記憶から消えるおそれがはるかに高いことを、経験によって発見したからだ。この習慣のおかげで、自分の見解に対する反論のうち、私がまったく気づきもせず、答えようともしなかったものはきわめて少なくてすんだ」（Darwin, 1958）

これは、確証バイアスに対処するためのすぐれた（おもに精神的な）手法です。

しかし私たちは、ツェッテルカステンを使うことができます。できれば、あまり精神的に負担をかけずに、適切な意思決定をしたいものです。セイレーンの誘惑の歌に抗うために、自分自身をマストに縛りつけてもらったオデュッセウスのように。

すぐれたシステムがあれば、実際に高潔な人間にならなくても、もっと高潔に振る舞わざるをえなくなります。

ツェッテルカステンでは、確証バイアスに対処できるふたつのポイントがあります。第一に、書くプロセスが通常のものと違うこと。第二に、動機づけのやり方を変え、自説を裏づける事実を探すのではなく、関連情報を、その主張を問わず無差別に収集できることです。

ツェッテルカステンを使わない従来の文章術では、題材にする仮説やテーマの決定から始めます。これでは、確証バイアスが跋扈《ばっこ》するのは目に見えています。どうしても一面的な見方をすることが避けられなくなってしまいます。

批判により、仮説を変更しなければならないことはいいこと

主張やアイデアを、トップダウンではなくボトムアップで発展させるのが、私たちがいい洞察を得られる最も重要なステップでしたね。

私たちは、進行の最中で遭遇する最も洞察に満ちたアイデアにフォーカスし、どんな状況の変化にも歓迎できるようでなければなりません。

むしろ、状況の変化のおかげでプロジェクトがかえって前進したというぐらいが理想的です。

そのために、常に仮説で頭をいっぱいにするのではなく、次のことをする必要があります。

・各タスクを分離していることを確認し、読んだテキストの理解に専念する

・自分の仮説の内容を正確に説明していることを確認する

これらを実行してはじめて、一歩引いて自分の中でどのような洞察が生まれたかを観察し、どんな結論になるかを判断します。

ツェッテルカステンを使うと、何を読み、どうメモするかをいやおうなく厳選するようになります。**何をメモするかという条件はただひとつで、ツェッテルカステン内の議論に寄与するかどうかです。**

重要なのは、つながりがあるか、もしくはつながりをつくれるかです。ツェッテルカステン内にある思考に対する補足や否定、アイデアへの疑問、主張の差別化などは、思考の発展に寄与できます。加えることで、ツェッテルカステンをさらに豊かにすることができる情報です。

メモを上手に使えば反論データも好きになる

関心をうまく向けたら、さらに一歩進んで、自説の誤りを指摘する事実を見つけられるようにみずからを仕向けることができます。

一方的なアイデアだけを収集していても、ツェッテルカステンは豊かになりません。もちろん、内容は厳選しなければなりませんが、自説に賛成か反対かではなく、関係があるかないかで選ばなければなりません。

ツェッテルカステンの内容に集中するようになると、自説に反するデータは魅力的なものに思えてきます。**ツェッテルカステンのなかにさらに多くのつながりや議論をつくりだすからです**。単に自説を裏づけるデータではこうはいきません。

自説に反するデータを探す作業は実践を重ねるにつれ簡単になり、中毒性すら帯びてきます。ひとつの情報が問題全体の視点を変えてしまう経験は、興奮するものです。方向性を事前に決めてしまってさえいなければ、ツェッテルカステンの中身が多様であればあるほど、思考を前に進めることができます。

一方的なメモと、しっくりくる引用のコレクションよりも、賛否入り乱れる活発な議論から興味深いテキストを生み出すのはずっと楽です。もし問題について詳しく掘り下げる前に思いついたアイデアのみで文章を書いたなら、発表に値するようなこと（つまりやる気の出ること）を書くのは不可能に近くなります。

ツェッテルカステンは、異論にきわめて寛容です。関係のあるメモが大事というだけなのです。

結論を導き、主張を展開する一直線の構造を練る作業は、いちばん最後です。関連するデータを収集し、さまざまな思考をつなげて、それらがどのようにフィットするかを論じたあとに行うべきです。

関連のあるメモ同士を見つける能力が大事

メモにとるべき関連のある情報ととらないでいい関係のない情報を見分けるスキルも、実践でのみ身につきます。

必要なのは、主旨をつかみ、補助的な情報と区別するという習慣です。ペンを手にして読み、永久保存版のメモを次々書き上げていれば、この区別はやらざるをえません。単なる実践を超え、1日に何回も繰り返す習慣になります。テキストやアイデアの主旨を抽出し、文章で説明することは、ピアニストにとっての毎日のピアノの練習のようなものです。取り組む回数が多く、集中しているほど上達します。

そんなテキストを読み解くために役立つものは、理論や概念や専門用語だけではありません。主張を読む際に見つかる典型的なミスや、さまざまな洞察から、自分が学習したメンタルのくせも手がかりになります。

　こうしたパターンは、自分だけのすぐれた思考ツールのように蓄積されます。こうした基準がなければ、専門家として読み、理解することは不可能です。あらゆるテキストを同じやり方で、小説のように読んでしまうでしょう。

　しかし、パターンを認識する能力を身につけていれば、好循環に入ることができます。読むのがやさしくなり、主旨をつかみやすくなり、短時間でたくさん読めるようになり、パターンを認識して理解しやすくなります。

　そうしているうちに自分だけの思考の方法も発達し、思考と理解全般に役立つようになります。ウォーレン・バフェットの右腕を長く務めるチャーリー・マンガーは、こうした思考の方法を幅広く備えていて応用法にも長けた人物を、「世の中を知る賢者」と呼んでいます。

一次文献にあたらないと「賢者」にはなれない

　しかし、マンガーが言う能力は、対象を選び抜いて読むことを、私たち自身が意識的に行い、そして自分自身の判断力のみで、重要なものとそうでないものを見分けるようにしなければ働きはじめません。

ちなみに、教科書や二次文献は、自分自身で選ぶという作業を私たちにさせてくれません。そのため、こうした文献にのみ頼る人が「世の中を知る賢者」になる可能性はありません。

これは、哲学者イマニュエル・カントが、『啓蒙とは何か』で記した内容とさほど遠くありません。

> 「未成年の状態とは、他人の指示を仰がなければ自分の理性を使うことができないということである。人間が未成年の状態にあるのは、理性がないからではなく、他人の指示を仰がないと、自分の理性を使う決意も勇気ももてないからなのだ。(中略)啓蒙の標語とでもいうものがあるとすれば、それは『知る勇気をもて《サペーレ・アウデ》』だ。すなわち『自分の理性を使う勇気をもて』ということだ」(Kant, 1784)[『永遠平和のために/啓蒙とは何か　他3篇』中山元訳、光文社古典新訳文庫]

これを文字どおりの意味に理解することをおすすめします。**自分の理性を使うとい**

う能力は、もともと自然にできることではなく、挑まなければならない課題なのです。

メモを自分の言葉で書くと「自分の頭を使う」ことができる

この点について、ルーマンは永久保存版のメモの重要性を述べています。

「学術的なテキストを読む際の問題は、重要なこととささいなこと、新規の情報と繰り返されただけの情報を見分ける基準を培うために、短期記憶ではなく長期記憶が必要になるということだ。

しかし、もちろん何もかも覚えておくことはできない。それは丸暗記だ。つまり、言い換えると、選び抜いて読み、幅広く、つながりのある参考資料を抜き出さなければならない。また、繰り返し登場する概念を追えるようでなければならない。しかし、指導が不可能ならどうやって学習するのだろうか。（中略）おそらく最善の方法は、メモをとることだ。抜粋ではなく、テキストを凝縮して書き直した説明である。すでに書かれているものを書き直すことで、観測した内容の枠組みやパターンやカテゴリー、あるいは特定の説明を可能にして他の説明を排除する条件や仮定に注意を向けるように、ほぼひとりでに鍛えられる。

ある主張をするとき、その主張が意味していないこと、除外していることは何だろうと、常に問うのは理にかなっている。たとえば誰かが『人権』について論じているとして、その論ではどのような区別がなされているだろうか。『人間以外の権利』との区別だろうか、はたまた『人間の義務』との区別だろうか。比較するのは、文化だろうか。それとも、人権という概念を知らなかったにもかかわらず問題なく集団生活を送っていた歴史上の人々だろうか。

テキストがこの問いにまったく答えていなかったり、明確に答えていなかったりすることもよくある。その場合は、自分の想像力に頼らなければならない」（Luhmann 2000）

自分の言葉で書く作業をマスターすればするほど、きちんと役立つメモをすばやく書けるようになります。

本の構造を読みとる力も、メモをとればとるほど身につく

ルーマンのメモは、きわめて短く要約されていました（Schmidt, 2015）。実践をすることで、何かを表現するための最適な言葉が見つかるようになります。

それは、簡略化するのではなく、簡潔に言い表すということです。

明快に説明する能力は、自分のテキストの読者だけではなく、自分の近くにいる話し相手にも喜ばれます。その能力は、書くときだけではなく、話すとき、考えるときにも発揮されるようになるからです。読者も聴衆も、表現が明快であればあるほど、著者あるいは話者を知的だと考えることが証明されています（Oppenheimer, 2006）。

パターンを認識し、論の枠組みを問い、他者が行う区別を見抜く能力は、批判的に考え、テキストや講演で他人の主張の裏を読むための前提条件です。**幅広い知識をもつ能力よりもさらに重要なのが、問いや主張や情報を新たな枠組みでとらえ直す能力です**。この能力がなければ、自分がもっている知識を結局利用できないからです。

幸い、これらのスキルは身につけることができます。ただし、意図的な実践が必要です（Ericsson, Krampe, and Tesch-Römer 1993; Ericsson, 2008）。

賢くメモを取ることは、これらのスキルを身につける実践になります。単にテキストを読んで下線を引き、覚えていることを祈るのは何の実践にもなりません。

言い換えられなければ、真に理解できていないということ

かつて、物理学者でノーベル賞受賞者のリチャード・ファインマンは、ある概念を理解しているかどうかは、入門講義ができるかどうかで決まると述べました。

手にペンをもって読むのは、この講義のミニ版です。

永久保存版のメモは、テキストの背景となる思想や元の文脈も知らず、分野の一般的な知識しかもっていないオーディエンス（聴き手）に向かって書かれます。唯一の違いは、ここでのオーディエンスが未来の自分であることです。

未来の自分は、書いたことはすぐに忘れて、もともと自分が書いた内容を一度も見なかったのと同レベルの無知な状態になっています。

また、たとえば、口頭による発表では、根拠のない主張もたやすく通ることが多いのです。発言内容を自分でわかっていなくても、自信たっぷりのジェスチャーや、「おわかりですね」といったなにげないセリフで、主張の穴から目をそらすことができてしまいます。

しかし、文章では、こうした操作はできません。書くことの最も重要なメリットは、

自分で信じているほど、対象について理解していないという事実を突きつけてくれることです。

「いちばんのルールは自分自身を欺かないこと。そして、いちばん欺きやすい人間は自分です」リチャード・ファインマンは、若い科学者に向けた講演でこう強調しています（Feynman, 1985）。

読書、特に再読では、自分がテキストを理解していると思い込みがちです。

再読が危険なのは、単純接触効果があるからです。単純接触効果とは、何度もふれたものを好ましく思う傾向があるというもので、あるものを見慣れたとたん、そのものを理解しているとも思ってしまいます。（Bornstein, 1989）。

見慣れただけでは理解していないのは明らかですが、何かを理解しているか、それとも理解していると思っているだけかは、自分を何らかのかたちでテストしてみないとわかりようがありません。

メモは唯一にして最強の学習方法

メモをとるときに自分の理解を検証しようとしなければ、賢くなって知識がついた気分を味わって幸せにはなれますが、現実的には元と同じ愚かな状態のままです。

この温かい気持ちは、ツェッテルカステンに入れるために、読んだ内容を自分の言葉で説明しようとすると、たちまち消え失せます。突然、それまで見えなかった問題が見えてしまうのです。

主張を自分の言葉で書こうとすると、理解の穴が情け容赦なく突きつけられるのです。気分は悪くなりますが、この苦しみが、理解を高め、学び、先へ進むための唯一の機会です。これもまた、意識的な実践です。ここで私たちは、賢い気分になるか、賢くなるかの明確な選択に直面します。**アイデアを書き留めるのは遠回りで余分な時間のように思えますが、本当に時間のむだになるのは書き留めない場合です**。読んだ内容のほとんどが無意味になってしまいますから。

実際に情報を思い出してはじめて、学べているかどうかがはっきりします。

ここでも、単純接触効果が私たちをだまそうとします。前に見たものをまた見ると、その情報を記憶から想起することができたかのような情動反応を引き起こします。したがって、再読すると、読んだ内容はすでに学んでいるような気がして、「これ、もう知ってる！」と思うのです。ここでも、何かを学んだ気がするほうがいいかと、本当に何かを学べたほうがいいか、どちらかの選択に直面します。

「ばかばかしい、学習した気分や理解した気分を味わうために、誰が本など読んだり学んだふりをしたりするだろう」と思うかもしれません。

しかし統計によれば、大半の学生は日々、どんな方法によってもみずからをテストしようとしません。その代わりにするのは、ほとんど意味がないとされる、再読し、文に下線を引いてさらに読み返すというものです。この方法はほぼ意味がないとさまざまな研究が何度も繰り返し述べています（Karpicke, Butler, and Roediger, 2009、Brown, Roediger III, and McDaniel 2014）。しかも、意味がないと教えられても、なおこの手法を選ぶのです。

学習したふり、理解したふりでよいと思っている人は誰もいないでしょう。しかし実際には、日々私たちは無意識の選択についついい引きずられてしまいがちです。

だからこそ、意識的に実践せざるをえないようにして、理解不足や学べていない情報をできるかぎり突きつけてくれるような外部システムを選択するのが、賢い行動です。そうすれば、意識的な選択を1回しかしなくてすみます。

本当に覚えるためには「苦労しなければならない」

学習するには、実践することが不可欠です。ここでいう学習とは、テストに合格できるような学習だけではなく、世界への理解を深めてくれるような本物の学習です。

そして、実践は厳しく、労力が求められます。

学習には労力が必要です。なぜ苦労するかというと、理解するためには古い知識を活発に思い出し、新しいアイデアに結びつけて手がかりにできるように、脳を動かさなければならないからです。

教師は努力して、学生が学びやすくするために、情報をあらかじめ整理し、モジュール、カテゴリー、テーマなどに並べます。

しかし、これは本当は間違っていて、確認するための資料を教師がすべて用意してしまうと、学生がみずから意義のあるつながりを構築したり、自分の言葉に直して意味を理解したりするチャンスを奪ってしまいます。それはファーストフードに似ています。栄養価も高くなく、あまりおいしいわけでもありません。単に便利なだけです。もし教師が授業の最中にトピックを変えて、元のトピックを誰もきちんと理解していないのに次の章に進み、あとで元の章に戻ってきたりしたら、学生はびっくりするでしょう。また、しょっちゅうテストを実施し、その半分ぐらいはまだ教えてもいない内容だったりしたら、面食らうに違いありません。

こんなことをすると、学生は苛立つかもしれません。しかし、こんなことをされた学生は、自分が出会った資料の意味を汲まざるをえなくなり、そうすることで真に学び取ります。

ある論文によると、答えがわからない問題でも、その問いに答えようとした場合、あとで教えてもらった答えをずっと覚えている可能性が高くなるそうです（Arnold and McDermott, 2013）。

情報を思い出す試みに労力をつぎ込めば、最終的に手伝ってもらわなければ思い出せなかったとしても、長い目で見て、きちんと覚えている可能性がずっと高くなります（Roediger and Karpicke, 2006）。なんと、フィードバックがまったくない場合でさえも、自分自身で何かを思い出そうとするほうがよい結果が出ます（Jang et al., 2012）。

このような場合の経験的データははっきりしていますが、こうした学習戦略はみんなにしっくりこないかもしれません。ほとんどの人は、はっきりした答えの詰め込みを学習だと思っているからです。しかし、これは、何かを学ぶために同じものを何度も読み返して結局真に学べない理由でもあります（Dunlosky et al. 2013）。

本の再読は学習の役に立たないのと同じぐらい、理解の役にも立ちません。詰め込みによって、ごく短いあいだだけ情報を頭に入れることができるのは確かです。試験に合格するぐらいのあいだは覚えていることができます。

しかし、詰め込みは学習を助けてくれません。テリー・ドイルとトッド・ザカライセックの表現を借りれば「学ぶことをゴールとするなら、詰め込みは合理的でない行動だ」というわけです（Doyle and Zakrajsek, 2013）[*22]。

テキストを再読することは、なんの脈絡もなく突然卓球を1回やるくらい意味がないことです。でも、話はそれますが、卓球のほうがまだ役に立つかもしれません。運動をすると、情報を長期記憶に移すために役立つからです（Ratey and Hagerman, 2008）。それに、運動はストレスを軽減するので、これもよいことです。ストレスを受けると、私たちの脳は学習プロセスを抑制するホルモンで満たされるからです（Baram et al., 2008）。

まとめると、単純な再読は、理解にも学習にも意味がないということです。

もっともいい学習方法も「自分の言葉でメモをとること」

したがって、最も成功している学習法が、自分の言葉で説明すること（エラボレーション）であるのは、驚くには当たりません。

これは、賢くメモをとり、他のメモとつなげるときに取る行動とよく似ています。単なる再読とは対照的です（Stein et al., 1984）。

自分の言葉で説明するとはすなわち、読んだ内容の意味、それがさまざまな問いやトピックに与える情報、そして他の知識とどのように組み合わせることができるかをじっくり考えることにほかなりません。

実際、「学ぶために書く（Writing for Learning）」は、テキストを自分の言葉で説明する手法の名称にもなっています（Gunel, Hand, and Prain, 2007）。

「記憶するためにメモをとる」のではなく、思考するためにメモをとる

ただし、ひとつ注意が必要です。自分の言葉で説明すると深い理解に役立つことは

証明されていますが、百科事典的な、いわゆるクイズ王のような独立した知識を学ぶためには最善のやり方ではないと言われています(Rivard, 1994)。でも、クイズ王を目指しているのではなければ、百科事典的な知識を求めて何になるのでしょう。

事実と情報の保管は、ツェッテルカステンが引き受けてくれます。**そんなことより、思考と理解こそが自分でやらなければいけないことなので、それに集中するのが理にかなっています。**

もちろん、考え、理解しようとすることによってさまざまなことを知り、学習も促進されるのは、ありがたい副次的効果です。

とにかく、ルーマンはテキストを2度読み返すことはほとんどありませんでした(Hagen, 1997)。それでもあらゆる情報に精通した、印象的な人物であったと言われています。[*23]

メモをとることは、真の学習にもなる

ツェッテルカステンで作業するとは、頭のなかに入れる情報を代わりに保管することではありません。それでは、学んでいないのと同じです。むしろ正反対で、長期的

な真の学習をするためのものです。

したがって、ツェッテルカステンに格納する永久保存版のメモを書くのに時間がかかってしまうという意見は、近視眼的な見方です。文章を書いて、メモをとり、アイデア同士がどのようにつながるかを考えることこそが主役です。メモを書き直すことは、自分の言葉で説明するための力を身につけるのと同じです。自分の言葉で説明する時間を取りたくないがために読書から学べないのであれば、まさに時間の無駄です。

脳とツェッテルカステンには、明確な役割分担があります。

ツェッテルカステンは、詳細情報や参考資料を扱い、不変の情報を保管してくれます。それにより脳は、主旨、深い理解、全体的なイメージに集中し、創造力を発揮するための余裕をもつことができます。脳とツェッテルカステンそれぞれが、最も得意な分野に集中できるのです。

Chapter 11

メモをとることは最高に学ぶことでもある

優秀な人は、さまざまな問いを持ちながら読書している

教育心理学者のカースティ・ロンカは、特に優秀な博士号取得希望者と、はるかに劣る学生の読書アプローチを比較しました。その結果、決定的な差がひとつ見つかりました。**テキストの枠組みを超えて考える力です**（Lonka, 2003）。

文献を読むことに経験が豊富な人は、さまざまな問いを念頭に置いて読み、可能性のある他のアプローチに関連づけようとします。しかし、経験の浅い読者は、テキストに書かれた問いと主張の枠組みをうのみにする傾向があります。**すぐれた読者は、あるアプローチの限界を認識し、テキストで言及されていない内容を見抜くことができていたのです**。

ロンカが引用する心理学者ジェローム・ブルーナーも、もう一歩踏み込み、与えられた文脈を超えて考えることができず、与えられたとおりの情報にのみ集中するようでは、科学的思考は不可能だといいます（Bruner, 1973　前掲書から引用）。

しかし、それ以上に問題なのが、そもそものテキストの情報を、それが属する大きな枠組みや主張を踏まえて解釈できないことです。たとえ博士課程の学生でさえも、テキストから文脈を切り離して引用を収集してしまう場合があります。これは、想像できるかぎり最悪のアプローチです。

こうすると、その本の実際の意味を理解するのはほとんど不可能になります。文脈を踏まえて理解しなければ、それを超えて考えたり、自分の情報の枠組みを見直したり、他の問いにとってどのような意味があるかを考えたりすることもできません。

「文脈を読む」とは、別の箇所とどうつながるか考えること

したがって、ロンカはルーマンと同じことをすすめます。つまり、引用を収集するのではなく、テキストの主旨を短い説明で書き留めることが大事だということです。また、ロンカはそれらのアイデアを処理すること、つまり、アイデアが別の文脈にある他のアイデアとその本のなかでどのようにつながるかをじっくり考え、著者が特に提示しているわけではない問いに情報を与えることも、同じぐらい重要だと強調します。

これは、次のステップ、永久保存版のメモを書き、ツェッテルカステンに追加するステップで私たちがやることそのものです。

私たちは頭のなかにあるアイデアをいじくり回すだけではなく、具体的な方法で処理します。他の思考の流れに照らしてどういう意味があるのか考えてから、それを紙にはっきりと書き、他のメモと文字どおりつなげていきます。

メモを書いていれば、驚くほど早くアウトプットできる

長いテキストを書くことに初めて直面したとき、よく練られたアイデア、原典に基づく調査、正しい参照のルールを全ページで守りつつ数百ページを埋める、という作業に怖気づくのはごくふつうです。このタスクにある種の敬意が湧かないとしたら、どこか変わった人でしょう。

ところが、ほとんどの人は週休1日で毎日1ページを書くのは十分に可能だと思うようです。このペースで書ければ、たとえばおどろくべきことに博士論文が1年で仕上がります。ちなみに現実には博士論文が1年で仕上がることは稀です。

毎日一定の量を書く手法を極めたのが、多作で知られる19世紀の人気作家、アントニー・トロロープです。

毎朝5時半になると、トロロープは1杯のコーヒーと時計を前に執筆を始めました。それから、15分ごとに必ず２５０語以上書くようにしたのです。この執筆法によって「1日あたりふつうの小説1巻の10ページ以上を生産することができた。これを10カ月続けることで、結果として全３巻の小説を1年に３本執筆できた」と自伝に記さ

れています（Trollope, 2008）。しかもこれを、朝食の前にやっていたのです。

　しかし、本書で扱っているテキストはこのように書くものではありません。執筆に加えて、読書、研究、思考、アイデアの吟味があるからです。こうした作業は、ほとんどの場合、予定よりかなりの時間がかかります。

　人々にテキストを仕上げるためにかかる時間を予想してもらうと、常に必要な時間を過小評価します。しめきりを設定するのに最悪のケースのシナリオを元に見積もってもらい、実際の状況がはるかにましだった場合ですら、時間が少なすぎます（Kahneman, 2013）。ちなみに、博士論文の半数は永遠に完成しません（Lonka, 2003）。「研究して書く」「調べて書く」ような執筆は、トロロープの小説ほど予測可能ではありませんし、もちろんその作業は「1日1ページ」のような単位に分けられるものではありません。

　作業を管理可能、測定可能なステップに分割するのは筋が通っていますが、読書、研究、思考も伴うとなると、1日何ページという単位はいまひとつ現実的ではありません。しかし、執筆以外の作業が多いにもかかわらず、記事の数も含めれば、ルーマンの生産性はトロロープをも上回っていました。

　ルーマンは58冊の本と数百冊の記事を上梓したのに対して、トロロープは47冊の小説と16冊のその他の本を執筆しています。

一見すると、その理由はルーマンが朝食後も働いていたからに見えます。しかし、おもな理由はもちろんツェッテルカステンです。トロロープの手法が貯金箱なら、ルーマンの手法は複利での投資です。

トロロープは、毎日少額をとっておき、それが時間をかけて蓄積されることですばらしい結果が生まれる勤勉な倹約家のイメージです。毎日3ドルの節約（ちょうどテイクアウトのコーヒー1杯ぐらい）を1年続けると小さな休暇ができるぐらいの額が貯まります。現役で働いているあいだこれを続ければ、リゾートマンションの頭金ぐらいにはなるかもしれません[*24]。

しかし、ツェッテルカステンにメモを格納するのは、複利で投資して回収するようなものです（先ほどの例なら、マンション1室がまるまる買えるでしょう）[*25]。

これまで何度もお伝えしてきたとおり、ツェッテルカステンの内容の蓄積は、単なるメモの蓄積よりもずっと大きな価値があります。メモを増やすほど、つながりの可能性が増し、プロジェクト間のシナジーが高まり、したがってはるかに高い生産性を実現できます。

一日3枚メモをとれば十分

ルーマンのツェッテルカステンには、約9万枚のメモが入っていました。これはものすごく大きな数のように聞こえます。

しかし、ルーマンはツェッテルカステンを使いはじめてから亡くなるまで、1日6枚のメモを書いていたにすぎません。

著書の数でルーマンと張り合う野望がなければ、1日3枚のメモで手を打っても、妥当な期間中にアイデアを十分に蓄積することができそうです。ふつうの人なら、1年に1冊弱を書き上げるだけでも十分によいでしょう。

1日の原稿のページ数と比べると、1日に書くメモの数は、設定しやすいゴールです。

メモをとってツェッテルカステンのしかるべき位置に格納する作業は一気にできますが、原稿を書く作業は他のタスクも含めた数週間、数カ月の準備が必要になることがあるからです。

書くことは「写す」ことではなく「翻訳する」こと

読書しながらとる文献メモは、理解しているかいないかのフィードバックを得られるので、ある意味意識的な実践です。同時に、本の主旨を自分の言葉でまとめることは、読んでいる内容を理解するための最善の方法にもなります。

自分自身の考えについて永久保存版のメモをとることも、一種の自己テストになります。

考えを文章にしても意味が通じるか、そもそも自分の考えを紙に書けるか、あるいは、これに呼応して参考資料、事実、裏付けとなる資料が手元にあるかなどを確認できます。

また同時に、書くことは、考えを整理する最善の方法でもあります。

ここでも、書くことは写すことではなく、翻訳することです。論述は決して頭のなかの思考を書き写したものではありません。

書くことではじめて、自分の主張を客観的に見ることができる

一貫した主張を行うには、言葉が揺れていてはいけません。十分に一貫した言葉で書かれてはじめて、主張を議論することができます。

考えることを脳だけに任せてしまうと、もし思考のなかに矛盾があったら、さりげなく無視してしまうものです。心地よくありたいという気分が勝るからです。文章にすることではじめて、主張から文字どおりある程度距離を取って観察することができます。主張に関して考えるには、この距離が必要です。そうでなければ、主張を批評するために必要な心のリソースが、主張そのもので占められてしまうことになります。

既存のメモを意識して新しいメモを書くと、自分の記憶から利用できるよりも多くの情報を考慮することができます。これは非常に重要です。

というのも、内部記憶から記憶を引き出すことは、前にお伝えした、つながりで覚えているという心理学的な規則にのっとって行われるからです。また、脳は客観的に情報を格納するわけでもありません。人間は、情報を思い出そうとするたびに、記憶

をつくりなおし書き替えます。

脳は経験則に従い、合っていない情報も合っているかのように見せます。たとえば、起こっていない出来事を思い出したり、無関係なエピソードを説得力のあるストーリーにつなげたり、不完全なイメージを補完したりします。脳は最もでたらめな事象にさえも、パターンや意味を見いださずにいられないのです（Byrne, 2008）。

心理学者で行動経済学者のダニエル・カーネマンの言葉を借りれば、脳は「結論に飛びつく機械」（Kahneman, 2013）です。結論に飛びつく機械は、事実や合理性からみると、頼りたい機械とはいえません。

書いたものは、自分の思考そのもの

ルーマンはかぎりなく明確に述べています。

「書かないかぎり体系的に考えることはできない」（Luhmann, 1992）。

ほとんどの人はいまだに、思考を頭の中でするものと考え、完成した思考を紙に書くのがペンの唯一の役割だと思っています。

ある日、リチャード・ファインマンの研究室を、ある歴史家がインタビューに訪れました。ファインマンのノートを見つけたとき、この歴史家は、「ファインマンさんのすばらしい思考の記録」を目にすることができて光栄です、と言いました。

「いいえ」ファインマンは反論しました。

「それは思考プロセスの記録ではありません。思考プロセスそのものです。私は紙の上で実際の仕事をしたのです」

歴史家は言いました。

「お仕事は頭のなかでされたもので、その記録がここにあるのではないのですか」

「違います、本当に記録ではないんですよ。これは仕事です。仕事は紙の上でしなければならないものです。これがその紙です[*26]」

これはもちろんファインマンにとって、ちょっとした言葉の違いではなく、ずっと大切な区別でした。この区別が、思考に関する根本的な違いです。

書くことで、はっきりと考えるための足場ができる

哲学者、神経科学者、教育者、心理学者は脳の働きのさまざまな面で意見が異なりがちです。しかし、外部に足場をつくる必要性については、意見の違いはありません。

現代では、真の思考には何らかの外部化、特に文章のかたちでの外部化が必要だということに、大方が合意しています。

「紙の上、あるいはコンピューターの画面上のメモは、現代物理学やその他の知的探求を簡単にするのではない。可能にするのだ」という一節は、現代の神経科学者によるハンドブックの重要なポイントです（Levy, 2011）。

この本を書いたレヴィーは結論として次のように述べています。

「科学およびその他、体系的に探求をする分野、あるいは芸術の分野にみられる人間のすばらしい偉業を可能にしているのは何かという問題に純粋に関心があるなら、脳が外部の足場にどの程度まで頼っているかを理解する必要がある」（同前）

ツェッテルカステンでは、外部記憶装置であるツェッテルカステンのなかで思考をつなげることにより、脳の外に明確に足場をつくってくれます。

ルーマンは次のように書いています。

「何らかのかたちで違いに印をつけ、概念の区別を明示的あるいは暗黙的なかたちで常に把握しなければならない」

その理由として、つながりが外部に固定されることではじめてモデルや理論として機能し始め、さらなる思考のための意味と連続性を与えるからだ、と述べています

(Luhmann, 1992)。

具体的なメモを見てみよう

ツェッテルカステンの文脈にアイデアを埋め込むときには、自分の思考の流れにそって、アイデアの重要性を書き込むことです。

たとえば、私は最近、『いつも「時間がない」あなたに――欠乏の行動経済学』（早川書房、２０１５年）という本を読みました。

この本の中で著者のふたりは、欠乏というものがどのような認知的効果をもたらし、意思決定を変えるかを調べました。その本から、時間やお金がほとんど、またはまったくない人々が、まったくの無意味に感じられる行動を取ることがある理由を理解することができました。

たとえば、締め切りを前にした人が、考えが回らなくなってありとあらゆる作業に手をつけることがあります。あるいはお金のほとんどない人が、贅沢なテイクアウトを注文することがあります。外野から見れば、作業はひとつずつ手をつけたほうが合理的ですし、まとめて買い出しして自炊したほうが安いでしょう。

この本がおもしろいのは、それを人間がそもそも持つ根元的な現象として調査しているところです。

私は、人間が欠乏を体験するととってしまう異様な行動とその理由について、いくつかの文献メモを作成しました。

これは、本の主張に着目して行う最初のステップです。私の念頭にあったのは、この本は説得力があるか、どのような手法を使っているか、知っている参考文献はあるか、というような問いです。

しかし、ツェッテルカステンに入れる1枚目の永久保存版メモを書いたときに私がみずからに問いかけたのは、これらすべては私自身の研究と、私の頭のなかやツェッテルカステンにある問いとどのようにかかわってくるのか、という点です。

これは、自分が書き起こした内容になぜ関心を惹かれたかを問う、もうひとつの方法です。

本書の内容に興味を惹かれる理由は、もし私が心理学者だったら、政治家や債務アドバイザーだった場合や、あるいは個人的興味から手に取って買った場合とはまったく異なるでしょう。

ちなみに私の場合、政治的な問いを社会的な観点でとらえ、社会理論のプロジェクトに関心をもつ者として、最初のメモはシンプルでした。

「社会的不平等に関する分析には、欠乏の認知的影響を含めなければならない」

(Mullainathan and Shafir 2013.)

このメモはただちにさらなる問いを喚起します。ですのでそれについては、次のメモで「なぜだろうか」から書き出しました。

ここまでで、メインのツェッテルカステンにはすでに2枚のメモが入りました。1枚はまず最初の社会的な観点でとらえたメモ。そして、もう1枚は自分のアイデアの詳しい説明です。

2枚目のメモは欠乏が社会的不平等の研究となぜ関係あるのか、その答えがすべて本に書いてあっても、ただ書き写してはいけません。明確にされなければならないのです。

言い換えると、欠乏の認知的影響に関する洞察が、社会的不平等の分析にどのように影響するのか、自分で考えて書く必要があるということです。この両方は、読書中にとったメモに基づいてはいますが、自分の思考の流れに沿って書いたものです。

メモには「なぜだろうか」という視点が大事

これらのメモを書いていくと、「なぜだろうか」という問いに答えることで、さらなる問いが出てくることがわかります。

たとえば、これはすでに社会的不平等論で議論されているのではないか？　そうであれば、誰が論じているか？　そうでなければ、なぜ論じられていないのか？　これらの問いへの答えを見つけるにはどこを見ればいいか？……といった問いです。

こうした追加の問いに答えるために真っ先に確認するのは、もちろんツェッテルカステンです。問いに答えるために役立つ、社会的不平等に関する論述、あるいは少なくともその参照先が、すでにツェッテルカステンに入っているかもしれません。

ツェッテルカステンをめくっていくことで、アイデアが、これまで考えてもいなかった別のトピックにも寄与することを発見するかもしれません。

たとえば、肥満の例で議論されている個人的責任に関する問いや、自由意志に関する哲学的議論のサブトピックとして取り上げられているホルモンの影響などが挙げられます。

これらはいずれも、いますぐに議論する必要はありません。そもそも、これらのアイデアのほとんどには、もっと詳しい研究や読書が必要です。

しかし、あとで必要になったときに戻ってこられるように、可能性のあるつながりを書き留めておかない理由もありません。ツェッテルカステンのなかのメモが増えれば増えるほど、このステップは興味深く豊かなものになり、さらに多くの自分だけのための重要な問いが喚起されます。

これらの問いを書き出して、可能性のあるつながりを書いて明らかにするだけでも、概念や理論を調べていることになります。それらの限界が、ある問題に対する観点として浮かび上がります。

ある概念が別の概念とどのようにつながるか、あるいは別の概念をどのように導くかをはっきり書き留めることで、私たちはいやおうなく各アイデアを明確にして、他のアイデアと区別することになります。

物を覚えるのに重要なのは、「記憶」ではなく「理解」

賢い文献メモをとるときに、自分の言葉で説明すると読んだ内容を長期間にわたって覚えている可能性が高くなることを見てきました。でも、それはあくまで最初のステップです。

これらのアイデアを、メインのツェッテルカステンのなかにしまってある自分自身の思考のネットワーク、理論の格子、概念に転送することで、思考が次のレベルに上昇します。

せっかくの文献メモも、文脈に合わせて活用しなければ宝の持ち腐れで、きちんと処理しなければやがて失なわれてしまいます。だからこそ、メインのツェッテルカステンに入れる必要があるのです。

また、アイデアをツェッテルカステンに転送することで、そのアイデアを忘れることができることは何度も言いました。

メインのツェッテルカステンに入れるメモをとることが面倒だとすれば、それは、自力での記憶（外部記憶装置を必要としない）と、外部記憶装置への保存（忘れてしまうこと）のどちらかを都度「選ばなければならない」のではないか、と思っているからでしょう。

しかし、そんな選択はそもそもおきません。ただメモをとり、ツェッテルカステンを使うだけで、覚える必要があることは、自然と覚えられるからです。あなたは何もしなくて構いません。

また、外部記憶装置にまったく頼らず、あらゆることを記憶しておけるといちばんいいと思うかもしれません。しかし、「覚えること」と「考えること」は別の働きです。ツェッテルカステンは、あなたに「考えること」をさせてくれます。

本当にほとんど何もかも覚えていられた男性の物語を知ったら、考えが変わるでしょう。

人は判断をするためにわざと「忘れて」いる

ソロモン・シェレシェフスキーという記者（Lurija, 1987）は、心理学の歴史でもとりわけ著名な人物です。ミーティング中にまったくメモをとらないシェレシェフスキーを見て、上司は最初、まじめに仕事をしていないのではないかと疑いましたが、まもなくみずからの間違いを認めることになりました。

上司がこれをしかったところ、シェレシェフスキーはそのミーティング中に話した言葉を忠実に再現し、続いてこれまでに行われたすべてのミーティングを同じように一字一句再現したのです。職場の仲間はびっくりしましたが、いちばん驚いたのはシェレシェフスキー本人でした。他の人がほぼ何もかも忘れてしまっているらしいことに、はじめて気づいたのです。メモをとっている人たちでさえも、自分がふつうと感じている量の数分の一も記憶していないようでした。

後日、心理学者のアレクサンドル・ロマノヴィチ・ルリヤは、シェレシェフスキーに対して考えうるあらゆる方法で試験を行いましたが、一般の人が通常もっている記憶力の制約を、シェレシェフスキーには一切見いだせませんでした。

しかし、それには実に大きな犠牲が伴っていました。シェレシェフスキーは単に記憶力がすぐれているのではなく、忘れることに障害を抱えていたのです。

重要な情報は、無意識に頭のなかに入ってくる大量のささいな情報の山のなかに埋もれてしまいました。事実を覚えることにはすぐれていましたが、ものごとの本質や、具体的事実の背後にある概念を見抜いたり、重要な事実とささいな情報を区別することはほとんどできませんでした。

また、文学や詩に関しても大いに苦労しました。小説を一字一句再現することはできましたが、大枠の意味をつかむことができなかったのです。

『ロミオとジュリエット』はほとんどの人にとって愛と悲劇の物語ですが、シェレシェフスキーにとっては「花の都のヴェローナに、勢威をきそう二名門、古き恨みがいままた、人々の手を血にぞ染む……」以下えんえんと続く物語になってしまうわけです［『ロミオとジュリエット』小田島雄志訳、白水社、１９８３年］。何もかも覚えていられるという才能は、こと学術的な思考と論述の分野においては重大なデメリットであるのは明らかでしょう。

では、ふつうの人はシェレシェフスキーのように自分が遭遇したことを残らず記憶しておけるにもかかわらず、その能力を抑えるのに長けているだけなのでしょうか。実のところ学習に関する研究では、これについては結論がまだ出ていません。

ふつうの人も、マルセル・プルースト『失われた時を求めて』におけるマドレーヌの香りのような手がかりによって、過去の情景を突然つぶさに思い出すことがあります。無意識に思い出すのは、心の障壁に小さな穴が開くようなもので、そこから、生涯のうちに収集したにもかかわらず、二度とアクセスされない記憶のほんの一部を垣間見ているのかもしれません。

だとすれば、忘却とは記憶の喪失ではなく、意識と長期記憶のあいだに築かれる心の障壁だということになります。

心理学者は、このしくみを「積極的阻害」と呼んでいます（MacLeod, 2007）。その効用を理解するのは簡単です。徹底的なフィルターがなければ、脳は常にさまざまな記憶であふれ、肝心のものに集中できなくなってしまいます。

これは、シェレシェフスキーが生涯にわたって苦労したことでした。アイスクリームを買おうとしただけなのに、売り子のなにげない言葉が膨大な連想と記憶を呼び起こしたことですっかりまいってしまい、店をそのまま出るしかなかったことすらありました。

記憶で注目するべきは「想起記憶」

私たちには、まさに今すぐ役に立つこと以外、ほとんどの記憶を常に思い出さないようにする無意識のしくみがあります。これは残念ながら、保管庫にあるフォルダーのように、必要なものを意識的に取り出すことはできません。

カリフォルニア大学のロバート・ビョークとエリザベス・ライゴン・ビョーク夫妻

は、記憶の中でも、「保存強度」と「想起強度」を区別し、特に想起強度が大切だということを提唱しています。

保存強度とは、記憶を持続させる能力です。想起強度とは、情報を思い出す速さのことです。たとえば、何かを学んだばかりのときは、想起記憶が強いと言えます。

そして、脳の物理的容量だけを見れば、一生分の詳しい経験を格納してもまだ余裕があるそうです（Carey, 2014）。

夫妻の主張が事実であることを証明するのは正直かなり難しいことですが、ふたりが言う通り、保存強度から想起強度へと注目を移すことに私も賛成です。

つながりを考えずに何かを覚えるのは意味がない

学習とはハードディスクに情報を保存するような行為ではなく、情報と情報のあいだにつながりをつくり、橋渡しをして、記憶を阻害することを避ける行為です。適切な「手がかり」によって最も有用な情報を、必要なタイミングで思い出すことができるように戦略的に考える行為です。

現代の教育の状況、特にほとんどの人が採用している学習戦略を見ると、大半の学習がいまだに「保存強度」を向上させることを目標としています。つまり、独立した事実を覚えることが重視され、つながりを構築することはあまり重視されません。

しかし保存強度は向上させようがありません。それにもかかわらず、情報を無理やり脳に定着させようとするやりかたは、学習心理学者に「詰め込み」という不名誉な名前で呼ばれています。

「思い出すきっかけ」を重視したほうがたくさん覚えられる

代わりに「想起強度」に注目すれば、記憶を思い出す手がかりになる情報を意識することができるようになります。

単独で「手がかり」としてインプットする情報はそもそもありえません。あらゆる情報が、別の情報を呼び出すためのきっかけになりえます。

これは、プルーストの少年時代の記憶を呼び起こしたマドレーヌの甘い匂いのような連想かもしれませんが、こうしたフラッシュバックが「不随意記憶」と呼ばれているのには、しかるべき理由があります。これらは、意識的に思い出せないからです。

また、情報に結びつけられた偶然の手がかりもあります。たとえば、学校で習ったことを、習ったときと同じ教室で同じ背景音を入れてテストすると、思い出しやすくなるという研究があります（Bjork, 2011）。同様に、習ったときと同じ教室に座っていないと、習ったことを思い出しにくい場合があります。

つまり、習ったときと同じ状況と環境で繰り返しテストを行うと、学習がうまくいっていると過信してしまうおそれがあります。

覚えるために必要なのは「すでにある情報と結びつけること」

真の有用な学習の役に立つのは、情報を、できるだけ多くの脳の中の文脈に結びつけることです。これは、ツェッテルカステンのメモを他のメモに結びつけるときにやっていることと同じです。こうしたつながりを意識的につくることは、互いにつながっていて、互いに手がかりになる、アイデアや事実の自立したネットワークをつくるということです。

学習とはすなわち詰め込みである、という誤解はいまだに教育文化に深くしみついていますが、忘れたいものです。

理解していることは努力しなくても覚えている

文章を書くためには、詰め込んで覚える必要はありません。

参考文献などの情報が、ツェッテルカステンという外部に保存できるので、記憶するメリットはありません。

書くことの課題は、学習するよりも理解することです。理解できれば、学習はできているはずです。

ただし、ひとつ覚えておきましょう。ものごとの意味は必ずしも明確であるとは限らず、探求しなければならない場合もあります。

だからこそ、自分の言葉で説明する必要があります。自分の言葉で説明する最初のステップは、ある情報について、何かを書けるぐらい十分に考えることです。第二のステップは、他の文脈における意味もあわせて考えることです。

自分の言葉で説明する「学習法」もあります。ツェッテルカステンの方法はこれとほとんど同じです。この学習法は手法としては、他のどのアプローチよりもうまくいくことが証明されています（McDaniel and Donnelly, 1996）。

また、こういったことは新たな洞察でもありません。１９６０年代から１９８０年代前半までのいくつかの研究を調査した結果、バリー・Ｓ・スタインらは次のようにまとめています。「最近行われた複数の研究の結果は、記憶表現の弁別性が向上する方法で情報を自分の言葉で説明するように促すという獲得条件によって、記憶保持が促進される、という仮説を裏付けている」(Stein et al. 1984)

スタインらは、静脈と動脈の違いを区別する生物学の初学者の例を挙げて、この見方がいかに常識にかなっているかを示しています。

「（この初学者は）当初、動脈は壁が厚く、弾力に富み、弁がなく、いっぽうで静脈は弾力性が低く、壁が薄く、弁があることを覚えるのに苦労するかもしれない」（同書）

しかしこの違いについて自分の言葉で少し詳しく説明し、適切な疑問を抱けば、学生はこの知識を、圧力や心臓の機能といった、もともと備わっていた知識とつなげることができるといいます。心臓は動脈に血液を送り込んでいる、という常識につなげるだけで、少ない圧力で血液が心臓に戻ってくる静脈よりも、圧力に耐える必要がある動脈の壁のほうが厚くなければならない、とすぐにわかります。もちろん、静脈にはかかる圧力が少ないので、血液が逆流しないように弁が必要になります。

このように、いったん理解すると、静脈と動脈の特徴と区別は、知識から切り離すのは不可能になります。

すぐれた学習者は、すぐれた教師にもなる

正しく学習するとは、理解することです。そして、理解するとは、手持ちの知識に意味のあるかたちでつなげることです。

そうすれば、情報を忘れることはなくなり、適切な手がかりが引き金になれば確実に思い出すことができるようになります。

さらに、新たに学習した知識は、新たな情報につながる可能性があります。理解することに時間とエネルギーを費やせば、嫌でも学習します。しかし、理解しようとせずに覚えることに時間とエネルギーを費やしてしまうと、理解ができないだけではなく、おそらく学習もできません。この効果は蓄積します。

すぐれた科学者がすぐれた教師でもあることが多いのには、理由があります。

リチャード・ファインマンのような人物にとっては、研究をしているか教えているかにかかわらず、理解がすべての本質です。

有名な「ファインマンダイアグラム」は、理解をやさしくするための図です。そして、講義が名高いのは、学生が物理の本質を理解するために役立つからです。

こうした事実を踏まえると、ファインマンが従来の教育法に激しく異論を唱えていたのは驚きではありません。ファインマンは、不誠実な説明が横行する教科書や(Feynman, 1985)、学生にわかりやすく説明するために、学生がこれまでに理解していることを用いず別の例をでっちあげる教師に我慢なりませんでした(Feynman, 1963)。

メモを書き、ツェッテルカステンにしまっていくと、情報の深い意味を理解することができます。

ツェッテルカステンを使うと、この情報にはどういう意味があるのか、既存の情報とどのようにつながるのか、既存の情報とどこが異なり、どこが類似しているのかなど、自分の言葉で説明するための数々の問いに答えざるをえなくなります。

ツェッテルカステンをトピック順に並べないことは、メモ同士のつながりを積極的につくるための基本です。

学ぶことはたいてい、部品のように細切れになっていて、トピック別に整理され、分野によって分類され、概して他の情報から隔離されています。対照的に、ツェッテルカステンを使うと、自分の言葉で説明し、理解し、情報同士をつなげ、その結果真剣に学ぶという行動を、自然ととるようになります。

秩序が整いすぎていると、かえって学習の妨げになるという事実があります（Carey, 2014）。これに対して、意識的にバリエーションとコントラストをつくれば学習が促進されることもわかってきました。

ネイト・コーネルとビョークは、さまざまな美術様式を学生に教える実験によってこれを証明しました。まず、絵画によって美術様式をひとつずつ示す普通のアプローチを用いました。

次に、わざと様式と絵画をごちゃまぜにしました。

さまざまな様式の絵画を順不同で見せられた学生は、様式を従来に比べて早く区別できるようになった上に、これまで見られなかったほどのハイペースで絵画を様式や作者と一致させられるようになりました。

これは、トピック別に並べるのではなくメモ同士の違いと類似性について自分の言葉で説明することで、学習が促進されるだけではなく、頭の中で賢く分類できる能力が伸びることを示しています。これと同じことがツェッテルカステンの中で起こっていることはもうおわかりでしょう。

永久保存版のメモをツェッテルカステンに追加する

では、永久保存版のメモの大切さがわかったらツェッテルカステンへの追加の詳しい方法です。

1　メモをツェッテルカステンに追加します。場所は、直接関係あるメモの後ろ、または直接関わりのあるメモがなければ最後のメモの後ろです。

手書きの場合は、最後のメモに入れる場合は連番を振り、直接関係あるメモの後ろなら枝番を振ります。

デジタル式のツェッテルカステンを使っているなら、他のメモの「後ろに」メモを追加していきます。デジタルでは紙と違い、並び順を気にせずともひとつのメモから複数のメモにリンクやタグでつなげる（したがって、ひとつのメモを複数のメモの流れに含める）ことができます。

2　新しいメモに関係する別のメモへのリンクを追加するか、またはすでに入っているメモに新しいメモへのリンクを追加します。

3　新しいメモは必ず、索引から見つけられるようにします（索引については217ページから説明します）。必要に応じて索引に項目を追加します。あるいは、索引につながっているメモからさらに参照します。

4　一般化されたアイデアと事実の格子をつくりあげます。

Chapter 12

メモ同士をつなげれば、次から次へアイデアが発展していく

「あらゆるメモは、参照と逆参照のネットワークの一要素であり、メモはそのネットワークから〝質〟を得る」(Luhmann, 1992)

目の前にあるメモを見てつなげよう

何度も言いましたが、新しいメモは、すでにあるメモとはっきりとつなげて書くのが理想です。

もちろん、これは常に可能なわけではありません。ツェッテルカステンを使いはじ

めたばかりであれば、なおさらです。

しかし、慣れるとそれがツェッテルカステンに入れるメモの第一の選択肢になります。そうすれば、関連するメモの「真後ろ」にすぐ配置することができるようになります。

紙とペンを使っていたルーマンは、既存のメモの後ろに新しいメモを入れ、しかるべくナンバリングしました。既存のメモが21番なら、新しいメモは22番。22番がすでにある場合も21番の後ろに置きますが、枝番はアルファベットを使い21aとします。その後にまた枝番を入れたいなら数字を使います。

数字と英字をかわるがわる使うことで、ルーマンは階層的な順番をもたない無限の数の〈メインメモ〉と〈サブのメモ〉にメモを分岐させることができました。

しかし、当初はサブのメモだった内容でも、フォローアップとなる内容のメモが次々と蓄積されていけば、時とともに多くのサブトピックをもつメインメモに簡単に昇格させることができます(Schmidt, 2013)。

デジタル版のツェッテルカステンも基本は同じですが、さらに簡単です。

プログラムにもよりますが、自動的に番号やバックリンクを割り当ててくれるので、メインになりそうなメモをあとで好きなときに作成できますし、ひとつのメモで複数の異なるメモを同時にフォローすることもできます。

手書きでも、デジタルでも、このメインメモは、テキストの展開における大黒柱です。何度もいうように、抽象的な順序と、トピックに関連して並べ替えられるリアルの順序の長所を併せもっています。

メモの価値は、組み込まれているメモや参照のつながりによって決まります。

ツェッテルカステンは百科事典にすることを目的にしているわけではなく、思考のためのツールなので、完全性を追い求めなくてもかまいません。一連のメモの情報に穴があるというだけの理由で、新たなメモを書き起こす必要はありません。自分の思考に役立つときにだけ書けばよいのです。

あなたが関心をもつべき穴は、最終原稿の主張の穴だけです。ただしこうした穴は、次の段階の作業で、ツェッテルカステンのネットワークから主張に関連するメモをとり出し、草稿を書くために順番に並べてみたときに、はじめて明らかになります。

ツェッテルカステンはひとつのトピックからなっていないので、ここで、草稿のための概要をまとめる必要はありません。むしろ、ツェッテルカステンの概要をまとめることは、思考中に自分の思考の概要をまとめるぐらい不可能であると早めに受け入れたほうが無難です。

ツェッテルカステンは記憶を拡張するためのしくみです。考えるためのもので、思い悩む対象ではありません。

メインのメモは知識の塊で、そこでは複雑さから秩序が生まれます。情報を取り出してかき混ぜ、さまざまに組み合わせているうちに、新しいパターンが生まれてきます。そのパターンを新しいテキストに構成するわけです。

「索引」は、メモを見つけられるようにするサブの位置づけ

ツェッテルカステンにメモを追加したら、必ず再び見つけられるようにする必要があります。

そのために「索引」を作成しましょう。

ルーマンは、ツェッテルカステンのメモの中からキーワードになるものを選び、別のインデックスカードにタイプライターで索引を作成しました。そのキーワードを「索引」として並べます。

キーワードは数を絞って慎重に選ぶことをおすすめします。

ルーマンは、索引に書くメモの番号はひとつかふたつに絞っていました。そして、それ以上はめったに追加しませんでした（Schmidt, 2013）。

キーワードあたりのメモの数を控えめにするべき理由、そしてキーワードをしっかりと選ばなければならない理由は、ツェッテルカステンの利用法にあります。

ツェッテルカステンは、ただ入れたものを取り出すだけのアーカイブではなく、思考のためのシステムとして活用するべきでしたね。したがって、索引からメモへとぶよりも、メモ同士のつながりのほうがずっと大切になります。

自分のメモを見返したときの「驚き」が大事

もっぱら索引に注力してしまうと、探している内容が常にあらかじめわかっていなければなりません。言い換えると、十分に練り上げた計画が頭のなかになければ、完成度の高い索引はつくれません。しかし、そもそもツェッテルカステンを導入する中心的な理由は、メモを整理するタスクから脳を解放するためであるはずです。

ツェッテルカステンは、ただ自分が頭の中で考えて要求したものを用意するよりずっと多彩な機能を秘めています。自分でも長いあいだ忘れていたアイデアを、驚きとともに思い出させてくれるだけでなく、新しいアイデアを思いつくきっかけになります。

この重要な「驚き」の要素は、索引を直接探しているときではなく、互いにつながったメモを参照しているときに現れます。

「索引」の役割はメモのつながりへのただの入口

ほとんどのメモは、他のメモを通じて見つかります。ツェッテルカステン同士はつながりのなかにあるので、索引の役割は入口です。

入口には、賢く選んだメモが少数あれば十分です。索引から具体的なメモに到達するのが早ければ早いほど、頭のなかで組み立てたアイデアから、それに関連するメモを見つけることができます。そうして、すぐさま事実に基づくツェッテルカステンとの対話ができるようになります。

さきほども言ったように、ツェッテルカステン全体の概要を得ることはできません（自分の内部記憶の概要を得ることがありえないのと同じです）。それでも、特定のトピックの概要を得ることはできます。トピックとサブトピックの構造も、あらかじめ決められたものではなく思考の結果なので、そこで固まることはなく、ずっと検討と変更の対象になります。

そのとき興味がある「全体的な概要」メモをつくって索引を貼るのがベスト

したがって、文章全体のトピックもまた、上位の階層ではなく、メモの内容に基づいて決まります。トピックまたはサブトピックの概要を仮につくりたいなら、そのためのメモを新しく追加しましょう。そして索引からこのメモにリンクを作成すれば、うまい具合に入口ができます。

そうして、メモに書かれた概要が塊やトピックの状態を適切に表さなくなったら、あるいは著者として構成を変更することに決めたら、構成を改善したメモを新たに執筆して、索引からのリンクを更新します。

これは重要なことで、トピックの構成に関するあらゆる検討事項もまた、メモの内容の検討事項にすぎません。したがって変更されることがありますし、理解の進展による影響も受けます。

キーワードは「自分が取り組んでいる問題から」考える

索引のためのキーワードのいちばんいい選び方は、「このメモを表すのに、どのキーワードが最もふさわしいか」ではなく、「内容を忘れたとしても自分がこのメモをもう一度見つけたいと思うのはどんな状況か」と考えることです。これは決定的な違いです。

たとえば、次のようなメモを追加するとします。

「Tversky/Kahneman（1973）は、人間はある事象を詳細に考えられる場合のほうが、その事象がはっきりしない場合よりも、事象の発生率を多く見積もりすぎる可能性が高いことを実験で示した」

メモ全体を表すような言葉を選ぶなら、「判断の誤り」「認知心理学」「実験」などキーワードが適しているのではないかと思うかもしれません。しかし、もしこれらのキーワードを選んでしまうと、「主題」「学問分野」「手法」などの大きな分類で考えることになってしまいます。しかし、「認知心理学」に関するメモをすべて集めて記事を書いたり、「実験」というキーワードでまとめられたすべてのメモを取り出す必要が将来生じることは、あまり考えられません。「判断の誤り」を集めた本を執筆しようとは思うかもしれませんが、これに関するメモの山を、きちんと順序だてた主張にまとめられる見込みは低そうです。

ですので、キーワードの選び方にはぜひ別のアプローチをとってください。**まず、ツェッテルカステン全体にざっと思いを巡らせ、その中ですでに考えている疑問や問題のなかで、新しいメモが貢献しそうなところを検討します。**

たとえば、意思決定について研究している経済学者が、先ほどの新しいメモを見て「経営者は、利益の大きなプロジェクトよりも、可視化しやすい結果の出るプロジェクトを選択する」ということをツェッテルカステンから思い浮かべるかもしれません。その場合、「予算の配分」が適切な索引のキーワードになる可能性があります。

キーワードを割り当てると、それだけでメモを特定の文脈に置いたことになります。そうすると意味が与えられ、その文脈ならではの問いがもちあがります。

この「意思決定」の研究の例なら、規則的な影響は出ているか、それは測定できるのか、他の研究者が測定したことはあるか、影響は上場企業の市場価値などの利用可能なデータとして現れているか、現れている場合、理解しやすい製品がある企業のほうが、理解しにくい内容のサービスや製品を提供している企業より市場価値が高いのか……といったことからキーワードを考えます。

このキーワードを割り当てることで、予算配分に関する別のメモが見つかる場合もあります。問いに答えるために役立つかもしれませんし、新たな問いの引き金になるかもしれません。

しかし、もしあなたが政治学者であれば、このメモを、選挙中に盛り上がりやすい話題とそうでない話題がある理由や、有効性の高いソリューションよりも可視化しやすいソリューションを推進するのが政治的に賢明なことがなぜあるのかという理由を知るために読むかもしれません。ここでつけられるキーワードとして考えられるのは、「政治的戦略」「選挙」「機能不全、政治」などです。

キーワードは、新しく考え直してつける

キーワードは、常に自分が取り組んでいるトピックや関心のあるトピックから決めるべきであって、メモを単独で見て決めてはなりません。このプロセスを自動化したり、機械やプログラムに任せたりすることができないのもこのためです。**きちんと人間が考える必要があるからです。**

たとえば、〈ZKN3〉というプログラムでは、既存のキーワードや書き上げたテキストを元にキーワードの候補を出してくれます。しかし、ここで表示されるものは、おすすめよりも警告として活用したほうがいいでしょう。つまり、使わないほうがいい単語です。それらは最も明白なアイデアではあっても、おそらく最善のアイデアではないからです。

キーワードの割り当ては、お役所的な事務処理よりもずっと奥の深い仕事です。メモ自体を自分の言葉で説明したり、別のメモと関連付けしたりする場合にも発展しうる、思考プロセスにとって非常に重要な部分なのです。

リンクを貼るときは、メモのつながりを強く意識する

索引の次はリンクです。

デジタル版のツェッテルカステンでは、リンクの作成はこれ以上ないほどシンプルです。しかし、たとえプログラムが参考文献などに基づいてリンクの候補を推奨してくれたとしても、すぐれた相互参照を作成するためには人間が真剣に考えることが重要です。この作業は、思考を発展させるために欠かせません。

ルーマンは基本的に4種類のリンクを用いました（Schmidt, 2013; Schmidt, 2015)。デジタル版のツェッテルカステンに関係があるのは1番目と2番目のみで、あとのふたつは紙とペンによるアナログ版の制約を補うものなので、デジタル版を利用する場合は気にしなくて構いません。

1　まず最初は、トピックの概要を示すメインのメモへのリンクです。

これは索引から直接参照されるようなメモのことです。このリンクは、概要が必要なほど大きく発展したトピックへの入口として使われます。

このようなメモには、他のトピックや問いへの関連メモへのリンクを集めることができます。リンク先の短い内容を添えるとよいでしょう（1、2語か短文で十分です）。

こうしたメモは思考全体の構成を整えるために役立ち、原稿を発展させるための要と考えることができます。なによりもまず、使い手がツェッテルカステンに慣れるために役立ちます。メモを書くべきときがわかるようになるからです。

ルーマンは、こうした入口用のメモに対して、最大25個のリンクをつけました。

リンクは後から追加できるので、一度にすべて書き上げる必要はありません。これもまた、トピックが成長できる様子を表しています。

あるトピックに何が関係し、何が関係しないかという判断は、書き手の現在の理解によって変わってくるので、真剣に検討する必要があります。

メモ同士が「関係するかしないか」の判断は、アイデアの元となる事実と同じぐらい、アイデアを形づくります。自分が持つトピックとの関連や、トピックの構成方法は、時がたつにつれて変わります。

変化したとき、より適切なトピック構成を書いたメモを作成する場合もあります。新しく作成したメモは、前のメモを確認することができます。

幸い、これによって他のメモがすべてむだになることはありません。以前に述べたとおり、索引の冒頭にあるリンクをこの新しいメモに変更するか、前のメモに、いまはこの新しい構成のほうが適していると思う、と記載するだけです。

2　最も一般的なものは、メモからメモへの直接的なリンクです。これは、ふたつのメモのあいだにつながりがあることを示す以外の機能はありません。ツェッテルカステン内の位置にかかわらず、関連するふたつのメモ内の単語を直接リンクしましょう。

3　これは、ルーマンのように紙とペンで作業している場合にのみ必要になりますが、ツェッテルカステンに蓄積された思考の流れをたどれるようにしたリンクで、デジタルならタグにあたります。

ルーマンはメモとメモのあいだにサブトピックを追加していったので、当初の思考の流れ、つまり「テーマ」が数百枚のメモで遮られることがありました。そこで、当初の流れがわかるリンク集のようなメモをつくっておきます。

1のリンクが、ツェッテルカステンのあちこちにあるトピックの概要を追跡するのに対し、こちらは物理的に近くにあるメモ同士でのつながりを追跡するために必要です。もちろん、デジタル版では直接そのメモにどんなテーマなのかのタグをつけましょう。

4　これもデジタル版では必要ありませんが、紙で管理する場合は、現在のメモがフォローするメモと、逆にフォローされるメモを示すリンクの一覧も必要です。これも、3と同様、隣同士でなくなったにもかかわらず相互フォローの関係にあるメモを確認するためにのみ重要です。

リンクは、無関係なメモ同士のつながりをつくる魔法の道具

リンクは、一見無関係なトピック同士のあいだに、驚くべきつながりや共通点を見いだすために役立ってくれます。すぐにパターンが見えてくるわけではないにしても、ふたつのメモの間にいくつものリンクを確立するうちに何かが浮かんでくるかもしれません。

ルーマンの社会システム理論の主要な特徴のひとつが、社会のなかのまったく異なる要素の中に同じ構造を発見することであったのは、決して偶然ではありません。たとえば、ルーマンは金、権力、愛、真実、正義のような多種多様な要素が、構造的に同種の問題を解くためのものとして、観察できることを示しました(コミュニケーションを受け入れられるための媒体として、金や権力などを見ることができる、という発想です。Luhmann, 1997)。

このような観察は、あらかじめ考えたテーマやトピック別にきっちりと情報が分かれるシステムで作業している人には、達成も説明もできません。

リンクを貼ることは、ただのメモの整理ではなく、大事な思考の一部

リンクの作成は、ファイルボックス管理のような単純なものではないということを、常に念頭に置いておきましょう。有意義なつながりを見つけることは、完成原稿に欠かせない一部分です。ここで行うのは、非常に具体的な、かたちある処理です。

自分の内部記憶、つまり脳の記憶をたどるのではなく、文字どおりファイルボックスをくまなく探して、つながりを見つけましょう。実際のメモを扱うことで、存在しないつながりを想像であげてしまう危険性も低くなります。筋が通っているか否かを、文章を見て判断することができるからです。

メモをきちんと使えば、より系統立てた思考ができるようになります。使い手自身のアイデアが、事実、考え抜かれたアイデア、検証可能な参考資料のネットワークに基づくようになります。

ツェッテルカステンはさながら、博識なのに地に足のついた話し相手のごとく、しっかりした基礎を常に与えてくれます。

現実離れしたアイデアをツェッテルカステンに入れようとすると、「参考資料は何

か」「手持ちの事実やアイデアとどうつながるのか」といった点を、まず必然的にチェックすることになります。

メモを入れたときに矛盾が見つかるのはとてもいいこと

ツェッテルカステンをしばらく使っていると、やがていやおうなしに悲しい発見をします。たったいまツェッテルカステンに追加しようとした、新たなすばらしいアイデアが、すでに入っているのです。

さらに悪いことに、そのアイデアは自分のものですらない可能性もあります。同じことを2度思いついたり、他の人の発想を自分の発想と勘違いしてしまったりするのは、決してめずらしいことではありません。

残念ながら、ツェッテルカステンを使っていないほとんどの人はこの屈辱的な事実に気づきません。というのも、すでに考えついた思考を突きつけるシステムがないからです。

あるアイデアを一度忘れてからもう一度思い出したとき、脳は初めてそれを思いついたかのような興奮を覚えます。したがって、ツェッテルカステンを使うと幻滅を感じることになりますが、それと同時に、先に進んでいる気分を味わうのではなく、未踏の領域に思考を進める可能性が高くなります。

場合によっては、新たなメモと古いメモを突き合わせることで、他の方法では気づかなかったであろう違いを発見できます。同じと思っていたふたつのアイデアに、わずかな、しかし決定的な違いが見つかることがあります。その場合はもう1枚メモを書いて、違いを明確に論じましょう。

この方法は、同じ概念についてふたりの著者がわずかに異なる使い方をしている場合に有用です。特に、学術的な著作に真剣に取り組むときには、用語や概念の違いを明確にすることは重要ですが、ツェッテルカステンのような重箱の隅をつついてくれるパートナーがいれば、ずっと楽になります。このように小さく、それでいて決定的な違いを見つけるには、目の前にメモを文字どおり並べて、それらをつなげる試みのなかで比較するほうがはるかに簡単です。

また、メモの比較は矛盾やパラドックス、対立意見を見つけるためにも役立ちます。メモを比較すると、洞察を得やすくなります。矛盾するふたつのアイデアを同じぐらい真実だと考えていたことに気づくと、そこに問題があることがわかるからです。問題が発覚するのはよいことです。解決すべきことができたからです。パラドックスは、ある問題について十分に考えていなかったか、逆に、あるパラダイムの可能性を考え尽くしてしまった形跡であると考えられます。

また、対立意見は対比を可能にするため、アイデアの形成に役立ちます。アルバート・ローゼンバーグは、対立する考えを組み立てることが、新たなアイデアを生み出すための最も信頼できる方法であると言っています（Rothenberg, 1971; 1996; 2015）。

新しいメモにより、古いアイデアがどんどん磨かれていく

また、メモを絶えず比較していると、古いメモを新しい観点から考え続けることができます。ひとつのメモの追加が、古いアイデアの修正、補足、向上につながることがどれほど多いかということに、私は驚かされました。

古いメモに新しいメモを追加し、それらをいやおうなく比較するようになると、アイデアが絶えずレベルアップするだけではなく、読んでいるテキストの弱みが明らかになることもままあります。

これを補うためには、そのテキストを特に批判的に読み、情報の抽出を慎重に行う必要があります。主張については常に原典をチェックしなければなりません。[*27]

ツェッテルカステンは自説に反する情報と対峙させてくれるだけではなく、「正の特徴効果」という現象の対策にも役立ちます（Allison and Messick, 1988; Newman, Wolff, and Hearst, 1980; Sainsbury, 1971）。これは、（頭のなかで）簡単に利用できる情報を高く見積もってしまうことです。そうなると最も関連性の高い事実ではなく、最近覚えた事実に思考が傾きがちになってしまいます。

外部のしくみに頼らなければ、知識として蓄えたはずのことばかりか、記憶しているはずのことすら考慮に入れることができなくなります。[*28] ツェッテルカステンは、長いあいだ忘れていて他の方法では思い出せないようなこと――あまりに長いあいだ忘れていて探そうともしなくなっていることを、絶えず思い出させてくれます。

暗記した内容を吐き出すだけの人間は失敗する

ウォーレン・バフェットのパートナーでもある、先述の投資企業バークシャー・ハサウェイの副会長、チャーリー・マンガーは、現実を把握するために、広範な理論を知っておく重要性を強調しています。

マンガーは、市場や人間の行動を理解するために彼にとって最も有用であった考え方の枠組み（メンタルモデル）を、学生相手にたびたび説明しています。

マンガーは、あらゆる学術分野について最も有力な概念を見つけ、その徹底的な理解をして、みずからの考えの一部とすることをすすめます。さまざまな考え方の枠組みが融合し、自分の経験とつながりはじめた瞬間、彼が「世の中の知恵」と呼ぶ知の蓄積が始まります。

重要なのは、わずかな数ではなく、数多くの幅広い考え方の枠組みを頭のなかに構築しておくことです。そうしないと、ひとつやふたつのモデルに固執しすぎてしまい、そのモデルに合う現象しか見えなくなってしまうからです。これでは、「ハンマーをもっている人は、あらゆるものが釘に見える」という諺の人物そのものです（Maslow, 1966）。

マンガーは次のように述べています。

「第一の法則は、孤立した事実を頭に叩き込んでいるだけでは、何も知ることができない、ということだ。さまざまな事実が理論の格子のなかに一緒に配置されていなければ、使える知識とはいえない。頭のなかにモデルをもっていなければならない。そして、疑似体験も実際の体験も、このモデルの格子に配置しなければならない。暗記した内容を吐き出すだけの学生を見たことがあるだろう。だいたい、そういう人は学校でも人生でも失敗する。体験は、頭のなかにあるモデルの格子に配置しなければならない、ということだ」(Munger, 1994)

本当に賢い人とは、何でも知っている人ではなく、幅広い理論を資源として活かし、ものごとの意味を理解できる人です。これは、一般的ではあるものの賢いとはいいがたい、「人はみずからの経験に学ばなければならない」という考えとは対照的です。

自分の経験よりも、他の人の経験に学ぶほうがはるかにすぐれています。その経験についてじっくり考え、他の状況にも応用できる自分だけの考え方に変えられるなら、なおさらです。

マンガーの考え方をツェッテルカステンに生かせば、メモのなかにある「構造」に気づくことができます。

知識を蓄えることはツェッテルカステンに任せて、メモを執筆、追加、リンクするとき、パターンを探して最も明白な解釈を越えて考えるとき、ものごとの意味を見いだそうとするとき、そしてさまざまなアイデアを組み合わせて思考の流れを展開するときに、アイデアの背後にある原則に注目するようにすれば、私たちはまさにその点に取り組めるようになります。「暗記したばらばらの事実」を思い出すのではなく、「考え方の格子」を構築できるようになります。

ツェッテルカステンを使っていると「このメモが大事だ」と直感でわかるようになる

科学史に残る多くの心躍る逸話を聞くと、すぐれた洞察は天からにわかに下りてくるものだと思いがちです。フリードリヒ・アウグスト・ケクレは、蛇が自分のしっぽを噛んでぐるぐる回る夢を見て、ベンゼンの構造をひらめいたといいます。

しかし、すばらしいひらめきができるのは、関連する問題について彼らがすでに長時間にわたって検討し、考えられる他のソリューションで試行錯誤し、数えきれないほどの観点を試してきたからです。突然のブレークスルーにも、たいていはその前に長く集中的な準備期間があるのです。

科学史家のルドウィック・フレックは、ある問題に対して豊富な経験を積み、道具や装置を名人級に熟知していることが、その問題の本質的な可能性を発見するための前提条件である、と述べています（Fleck, 1979）。

これは、メモを扱う場合も同じです。問題や疑問を注意深く検討できるようになるまでには、経験が欠かせません。実践のなかで学ぶことは、言葉で書き表せることよりも、常に複雑です。実践に関する深い知識から得られる直感こそが、新たな洞察に導いてくれるのです。あるアイデアより別のアイデアのほうが有望である理由を明確に述べることはできなくても、ツェッテルカステンに慣れていたら何らかのかたちでわかるはずで、それで十分です。

直感は理性や知の対義語ではありません。むしろ私たちの知的な試みの実践的な面です。直感による経験の蓄積の上に、形式知が意識的に構築されるのです（Ahrens, 2014）。

人間が真に新しいアイデアを思いつく経緯について洞察に富む本を著したスティーブン・ジョンソンは、この直感を「スローハンチ（ゆっくりとした予感）」と呼んでいます。この直感を活用する前提条件として、ジョンソンは、アイデアを自由に混ぜることのできる実験的空間の重要性を強調しています（Johnson, 2011）。

新しい発想を受け入れる仲間のいる研究室は、かつてインテリや芸術家が自由にアイデアをやりとりしたパリのカフェのような空間になる可能性があります。アイデアが自由に行き来し、新しいアイデアの誕生を後押しする空間に、私はツェッテルカステンを加えたいと思います。

ほとんどの場合、イノベーションは突然のひらめきの産物ではなく、改善に向けた一歩一歩のステップです。だからこそ、小さな違いを探すことが重要になります。一見同じ概念に違いを見いだしたり、一見異なるアイデアにつながりを見いだしたりするのは、非常に重要なスキルです。

神経生物学者のジェームズ・ザルは、認知的に人間は比較を自然にする生き物だと言っています。また、認知は実際の目の動きと連動するとも指摘しています。

何かひとつに注目するような場合でも、人間は比較をしています。

「注意するという行為は、途切れることなくひとつの焦点に集中するという意味ではない。われわれの脳は、繰り返し周囲をスキャンしてひとつの領域から別の領域に焦点を移動することにより、細部に注目するように進化してきた。（中略）焦点を定めているときよりも、スキャンを行っているときのほうが、脳が細部に気づく可能性が高い」（Zull, 2002）これは、対象が目の前にあるほうが思考がうまくいく理由のひとつでもあります。つまり、私たち人間に自然に備わっている働きなのです。

「常に同じようにメモをとる」から思考がはかどる

デジタルを使えば、メモの長さに関する物理的制約はなくなりますが、個人的にはデジタルのメモもスペースが限られているように扱うことを強くおすすめします。ツェッテルカステンは、ユーザーにかなりの制約を課します。でも、それがいいところでもあります。すべて同じ形式に制限しているので、メモ1枚あたりひとつのアイデアを、可能なかぎり簡潔、明確に表現しなければなりません。また、「メモ1枚にひとつのアイデア」に制限することは、あとでアイデアを自由に組み合わせるための前提条件でもあります。

ルーマンはＡ６形式のメモを選びました。デジタル版では、画面に収まってスクロールしないぐらいの量がひとつの目安になるでしょう。

また、ツェッテルカステンは私たちが文献や思考を扱うときも「常に同じ」にしてくれます。さまざまなメモやアイデアをあらゆる形式のメモやテクニックで処理する代わりに、常に同じ、シンプルなアプローチを使います。

文献は、「○ページには、△と書かれている」というメモに要約し、あとで出典とともに1カ所にしまいます。アイデアや思考は、ツェッテルカステンのメモにまとめ、常に同じように他のメモと関連づけます。

こうした標準化によって、メモの技術を無意識の習慣にすることができます。整理する方法をいちいち考えなくてよいのは、人間の脳にとって実に朗報です。使える脳のリソースはごく少ないので、本当に重要な問い、つまり内容に関する問いに取り組むべきです。

しかし、このように制約があるのは、選択肢が多いほどよく、選べるツールが大量にあったほうがすぐれていると考える現代の風潮のなかでは、直感に反しているかもしれません。

バリー・シュワルツは、著書『なぜ選ぶたびに後悔するのか』（瑞穂のりこ訳、武田ランダムハウスジャパン、２０１２年）で、買い物や仕事から恋愛まで、さまざまな例をあげ、選択肢を減らすことによって、生産性が上がるだけでなく、自由が増え、いまの瞬間を楽しみやすくなると述べています（Schwartz, 2004）。選ばなくてもよいという状況のほうが、選択のためにむだになっているポテンシャルを大幅に引き出すことができます。

あるいは、詩について考えてみてください。詩にはリズム、音節、音韻といった制約があります。俳句は、詠み手にはわずかな形式上の自由しかありませんが、詩的表現の面で自由がないわけではありません。まったく逆で、厳格なかたちが決まっていてこそ、俳句は時間と文化を超えられるのです。

明確な構造があると、何かのなかに潜む可能性を探求することができるようになります。なにかを打破したいなら、そこには構造が存在しなければいけません。２進コードには、１と０というふたつの状態しかないという、アルファベットよりもさらに過激な制約がありますが、これまで誰も考えてこなかったような創造的な可能性を拓きました。

つまり、創造力や科学的進歩に対する最大の脅威は、構造や制限がないことです。構造がなければ、アイデアの差別化、比較、実験は不可能です。

ツェッテルカステンはなによりも、区別と判断を強制し、違いを可視化するためのツールです。創造力を高めるためには、あらゆる制約から自由になるべきだという考え方は間違っています (Dean, 2013)。

Chapter 13

メモをとればアウトプットができる

「書くことそのものによって、穴があるところに気づくようになるんです。私は、自分が書いたものを見るまで、自分が何を考えているか確信をもてることはありません。思うに、たとえ楽観主義者であっても、ストーリーや段落や文の組み立てに取りかかると、自分のなかの分析家が割り込んでくるんです。『そんなわけがあるか』と思うでしょう？　戻ってみると全部考え直しになるんです」

（キャロル・ルーミス）[*29]

メモの積み重ねがあれば執筆も簡単

執筆とは下書きの改訂にすぎず、その下書きとは一連のメモを連続した文に書き直す作業にすぎません。メモを毎日書き留め、ツェッテルカステンに入れ、互いに関連づけて索引を添えておけば、自分が書くもののテーマを見つける心配をすることはありません。私たちは、ツェッテルカステンのなかを見て、塊ができているところをチェックするだけです。

塊になっているものは関心を何度も惹いたテーマなので、取り組むべき資料が見つかっているのはすでにわかっています。

次に、このメモを机の上に並べて、主張のアウトラインを作成しましょう。章、節、項の仮の順番を組み立てます。**そうすると、答えられていない問いが明らかになり、埋めるべき主張の穴や、さらなる取り組みが必要な部分が浮かび上がります。**

ここで視点が変わるはずです。これまでと違い、他の著者による主張の文脈に沿って理解するわけでも、ツェッテルカステンのなかでさまざまなつながりを探すわけでもなく、ひとつの主張を発展させ、一直線の原稿に仕上げる段階になります。

これまでは、視野を広げ、あるアイデアが貢献しうる思考の流れをできるだけ多く見つけていましたが、これからは視野を狭め、ひとつのトピックにのみ沿って判断を行い、テキストの展開や主張の裏付けに直接関係のない内容をすべてそぎ落としていきましょう。

ブレーンストーミングより
ツェッテルカステンのほうがアイデアを生む

執筆のテーマを見つけるのに苦労していると、ブレーンストーミングをすすめてくる人がいます。

「ブレーンストーミング」という言葉にはいまでも現代的な響きがありますが、1919年にアレックス・オズボーンが造語し、1958年にチャールズ・ハッチソン・クラーク著『アイデア開発法――ブレインストーミングの原理と応用』（Clark, 1958　ダイヤモンド社、1961年）で一般読者向けに紹介された言葉です。多くの人にとっては、いまだに新たなアイデアを生み出すための最善の手法となっていますが、個人的には、時代遅れの手法とみなすことをおすすめします。

脳はその瞬間に手に入りやすいアイデアのほうを優先します。これは、重要なアイデアとはかぎりません。

脳は最近遭遇した情報を思い出しやすい傾向があります。そのような情報は、感情と結びついていたり、具体的だったりします。韻を踏んでいれば、なお理想的だそうです（Schacter, 2001; Schacter, Chiao, and Mitchell, 2003）。

アイデアの質に関係なく、やや抽象的だったり、あいまいだったり、感情を揺さぶらなかったり、感じがよくなかったりすると、優先順位が大幅に下がります。これは、知的な試みを扱うのにあまりすぐれた条件とはいえません。

さらに悪いことに、私たちには最初に思いついたアイデアを最も好み、実際の関連性にかかわらず諦めるのを躊躇する傾向もあります（Strack and Mussweiler, 1997）。

限界を打破したいと思ったり、ひとりではなく友達と一緒にやるのはどうかと思う前に、もうブレーンストーミングのことは忘れましょう。

じつは、ブレーンストーミングを行うグループの人数が多ければ多いほど、すぐれたアイデアの数は減り、無意識のうちにトピックの幅も狭くなるという研究結果も出ています（Mullen, Johnson, and Salas, 1991）[*30]。

メモを貯めると、執筆テーマは自然に見つかる

これまで繰り返しお伝えしたとおり、執筆のテーマを見つける作業は、ツェッテルカステンを活用していれば問題になりません。賢いやり方でメモを書いて収集しておいた人には、もはやブレーンストーミングの必要はありません。

過去にすぐれたアイデアを思いついていれば（思いつく可能性としては、数分間よりも数カ月間に思いつく可能性のほうが明らかに高いはずです）、すでになかに入っているでしょう。補足資料とすでに関連付けられているなら、フォローアップの価値があるという点も現時点で証明されていることになります。うまくいくかもしれないことを予測するより、うまくいったことを確認するほうがずっと簡単です。

何を書くべきかという問いに悩む必要はありません。**その問いには、ともすれば毎日のように、もう答えているからです**。

私たちは何かを読むたびに、書き留める価値があるかないかを判断しています。永久保存版のメモを作成するたびに、その中のテキストのどの側面が、長期的な思考やアイデアの展開に関連すると考えられるかを判断しています。アイデアや情報がどう相互につながるかを常に明確にして、それを文字どおり、メモとメモのあいだのつながりに変換しています。そうすることで、私たちはアイデアの塊を目に見えるかたちで発展させ、それを原稿に変えることができるようになります。

目に見えるかたちで発展させた塊は、さらにアイデアを惹きつけ、つながりの可能性のある情報をさらに多く提示します。これがまた、私たちがさらに読み、考える内容に影響を与えます。

塊は毎日の研究の道しるべになり、考える価値のあるテーマに誘導してくれます。トピックはそこから自然とボトムアップで立ち上がり、成長し、そのあいだに勢いを増します。

ツェッテルカステンが多少成長したら、リアリスティックにその中身を見てみましょう。そうすれば、自分が興味深いと思っていることを、すでに興味深いと証明されていて、取り組むべき資料も見つかっている内容に置き換えることができます。

いまや重要なのは、書くためのトピックを探すことではなく、書くことによって生み出した問いに取り組むことです。ツェッテルカステンの中身から自然に問いを立てるようにすれば、他のものよりも十分に試行錯誤を重ねた問いであることがわかります。大半の問いは、すぐに答えが出るか、メモにならずに消滅したと考えられます（関心が湧かなかったか、資料が調達できなかったためです）。

すぐれた問いは、重要性と興味深さが同居するスポットに存在します。

簡単に答えられるわけではないものの、手持ちの、あるいは少なくとも手の届く範囲の資料で取り組むことができるのが、すぐれた問いであるといえます。

このようなすぐれた問いを探すには、ちょっと考えるだけでは不十分です。あるアイデアについての判断が的確にできるほど十分に知るためには、そのアイデアをさまざまに活用してみなければなりません。問いに取り組み、それについて書き、他の問いや情報とつなげ、補足し、自分の言葉で説明する——**これらはすべて、賢くメモをとるときに自然とやっていることです**。

テーマは勝手にメモからでてくる

手持ちのアイデアからテーマを決めることには、想定外のメリットがあります。新しいアイデアを受け入れやすくなるのです。

すでにアイデアがあればあるほど新しいアイデアを受け入れやすいというのは、直感に反するようにも思えますが、科学史家は喜んでこれを裏づけるでしょう(Rheinberger, 1997)。

よく考えてみてください。あることを深く知ると、すでにあるアイデアを新しいものだと思い込んで繰り返すようなむだはなく、試行錯誤したり、修正したり、新たな別のアイデアを発見したりできるようになります。

ジェイコブ・W・ゲッツェルスとミハイ・チクセントミハイは、これが芸術分野にも当てはまることを示しています。両氏によれば、新しい革新的な作品は、偶然に頼る芸術家の気まぐれからはめったに生まれません。**まったく逆で、芸術家が美に関する「問題」を時間をかけて学べば学ぶほど、その作品は後世の美術研究者によって、クリエイティブな作品であると認められるのです**(Getzels and Csikszentmihalyi, 1976)。

また、日課や習慣について幅広く執筆し、旧来の考え方を「思考ルーチン」ととらえることを提案しているジェレミー・ディーンは、特定の考え方を打破するためには、それがまさに特定の考え方だと気づいていなければならない、と喝破しています(Dean, 2013)。

自分の関心事を追うと、テーマも自然に変更できる

優秀な人物を示す指標として、モチベーションが特に重要な指標に挙げられているのは、驚きではありません。

自分が心から共感するプロジェクトの前進を見ること以上にやる気が出ることはありませんし、やる価値がなさそうに思えるプロジェクトほどやる気の出ないことはありません。

結果の手がかりがあまりない状況で、長期的なプロジェクトを決めてしまうと、関

心を失うリスクが高くなります。

すべての仕事や研究について「何が興味深いのか」を問い、読むものすべてについて「重要な点は何か、メモに書き留める必要はあるか」を問うようにすれば、自分の関心のみによって情報を選ぶことはなくなります。**遭遇する情報を自分の言葉で説明することで、これまで知らなかった面を発見し、その過程でまた新しい興味関心を発展させられるようになります。**むしろ、仕事を進めているあいだに、興味関心がまったく変わらなかったとしたら、非常に残念な状況でしょう。

テーマの方向性を、チャンスに応じて変更できるようにすることは、計画に固執して状況を管理しようとすることとはまったく違います。

ＤＮＡの構造の発見につながった研究のきっかけは、助成金の出願でした。その助成金は、ＤＮＡの構造を発見するためではなく、がんの治療法を探すためのものでした。もし、研究者たちが当初の約束に固執していたとしたら、がんの治療法はおそらく見つからなかったでしょう。そして、ＤＮＡの構造も間違いなく発見されなかったでしょう。いちばんありうるのは、研究への関心を失ってしまったかもしれなかったことです。幸い、彼らは当初の計画に執着せず、直感と関心に従いました。実際の研究プログラムは、研究の過程で発展していきました（Rheinberger, 1997）。計画は、プロジェクトが完了したときにようやく完成するともいえます。

仕事に対するコントロールを維持し、必要に応じて路線を変更する能力は、「テキストを書き上げる」という大きなタスクが小さい具体的なタスクに分割されているからこそ可能になります。これによって、特定のタイミングでやるべきことをやり、そこから新しい一歩を踏み出せるようになります。重要だと考える方向に操縦することができていればいるほど、つぎ込む意志力も少なくてすみます。そうして初めて、仕事自体がやる気の源泉となります。

プロジェクトを最も見込みのある方向に操縦できるように仕事を整理すれば、集中力を長く保つだけではなく、もっと楽しむことができる——それは事実です（Gilbert, 2006）[*31]。

アウトプットが多くなりすぎるので「何を入れないか」が大切

構成の柱ができたら、残るはあとふたつの手順だけです。

ここまでくれば、説明することはあまり多くありません。おもな仕事はすでに終わっているからです。

この段階ではさまざまな考えを一直線に並べる必要があります。ポイントは、草稿の構成を目に見える形で決めることです。**ここでは、どこに何を書くかを決める作業よりも、「原稿に書く必要がない」内容を洗い出す作業が重要です。**構造を検討することで、ある情報が他の部分で言及されるかどうかを確認できます。

ここまでくれば、「白紙」の問題とは正反対です。ページをどうやって埋めるかがわからないのではなく、あまりに多くの情報が手元にあるので、あらゆることに同時に言及したくなる衝動を抑えましょう。

そこで、プロジェクト専用にメモを順番に並べる場所をつくることが重要になります。おおまかな構成を組み立てるために役立つのがアウトライナーですが、これは同時に、大切な柔軟性を保つこともできます。

構成は、主張の発展に従って変化します。構成がさほど変わらなくなったら、それを「目次」と呼んでも差し支えありません。ただし、その段階になっても、最終的な決まりではなく、構成の指針と見たほうが無難です。最後の最後で章の順序を変更することは決してめずらしくありません。

執筆に行き詰まったら、別のテーマに取り組む

もうひとつの重要なポイントは、さまざまな原稿に同時に取り組んでみることです。ツェッテルカステンは、ひとつのプロジェクトをやり遂げるためにも十分に有用ですが、真の強みは複数のプロジェクトに同時に取り組むようになったときに発揮されます。

ツェッテルカステンは、化学業界で「フェアブント」（ドイツ語で絆、つながりの意）と呼ばれるしくみと似ています。フェアブントとは、ある生産ラインで生まれた副産物が別の生産ラインの資源となることです。そのラインの副産物が別のラインに利用できるようにしていくことで、単独の工場ではもはや太刀打ちできないぐらい効率的に絡み合った生産ラインのネットワークが形成できるというしくみです[*32]。

読書と執筆のプロセスからは、意図しない副産物が必然的にたくさん生まれます。すべてのアイデアをひとつの記事に詰め込めるわけではありません。遭遇する情報のうち、あるプロジェクトにとって有用なのはごくわずかです。

興味深いものの現在のプロジェクトに直接関連しない文献を読んだ場合、別に取り

組んでいる、あるいは将来取り組む可能性のあるプロジェクトに使うことができます。

ツェッテルカステンを豊かにしているあらゆる内容は、今後執筆するテキストになる可能性を秘めています。賢くメモを取ることで、将来的な執筆のための資料を1カ所に集められます。

取り組むプロジェクトの到達段階はばらばらで構いません。まだ注目すらしていないプロジェクトもあるかもしれません。これがすぐれているのは、いまのテーマに取り組んでいるあいだに次の論文や本が進むだけではなく、執筆に行き詰まったときや飽きたときに他のプロジェクトに切り替えられるところです。

思い出してください。ひとりの人間がどうしてそんなに生産的になれるのか、という質問に対するルーマンの答えは、何かをやることを決してみずからに強要することなく、自分に向いていることだけをしたのだ、ということでした。

「行き詰まったら、いったんやめて他のことをやるんだ」

行き詰まったときに何をするのかと聞かれると、こう答えました。

「他の本の執筆さ。私はいつも、同時に複数の原稿に取り組んでいるんだ。複数のことに同時に取り組むやり方のおかげで、決して心理的な壁に突き当たることはないね」

(Luhmann, Baecker, and Stanitzek, 1987)

まるで格闘技のように、抵抗や反力に遭ったら、真っ向から押し返すのではなく、受け流してより生産的なゴールに向かうべきなのです。ツェッテルカステンは常に、複数の可能性を使い手に与えてくれます。

人間は「計画」を立てることがそもそも苦手

最後に、不都合な真実をひとつ紹介しましょう。人間の計画スキルは哀れなほど不十分だ、というものです。

心理学者のロジャー・ビューラー、デール・グリフィン、マイケル・ロスは、学生のグループに以下の指示を出しました。

1　論文を書き上げるために必要な時間を、現実的に推測する。

2　さらに、次の場合についても推測する。

a　すべてが可能なかぎりスムーズにいった場合

b　あらゆる面で最悪の事態が起こった場合

興味深いことに、学生の「現実的な」推測は、完璧な条件下で執筆した場合の推測とあまり違いませんでした。これだけでも、考察に足る結果です。しかし、実際に必要とした時間をチェックしたところ、本人の推測よりもはるかに長い時間がかかったのです。最悪の条件で、必要だと考えた時間内に論文を書き上げた学生は、半数にも達しませんでした（Buehler, Griffin, and Ross, 1994）。

1年後に行った別の研究では、この現象をさらに詳しく調べましたが、研究者たちの混乱はさらに深まりました。この研究では、学生の回答には制約を設けていないので、楽観的に答えても、学生には何のメリットもないはずなのです。学生には、論文が完成している自信が50％、70％、または99％ある時期を答えてもらいました。しかし、考えうるあらゆる条件下で99％完了していると確信している時間内に論文を完成させることができた学生は、45％にとどまりました（Buehler, Griffin, and Ross, 1995）。

前回の予測も完璧とは言い難かったことを学生たちに思い出させれば違いが出るのではないか、と思うかもしれません。研究者たちもそう思ったのですが、しかし、経験は学生に何の教訓も残していないようでした。

しかし、気休めになることがひとつあります。学生だからではなく、人間だからこのような結果になるのです。この現象は「自信過剰バイアス」と呼ばれますが、この現象の研究者本人も、みずからこの現象に陥ることを認めています(Kahneman, 2013)。

つまり、人間は、「計画を立てること」には向いていないということです。

しかし、これもツェッテルカステンで、論文執筆という大きな課題を、小さく管理可能なタスクに分割すれば、現実的なゴールの設定に役立ちます。

ある日、3本のメモを書き、前の日に書いた段落を見直すか、あるいは記事で見つけたすべての文献をチェックする計画を立てるようにすれば、達成できたことを1日の終わりに確認し、翌日に向けての予想を調整することができます。

1年のあいだに何百回もこうしたフィードバックを繰り返すことで、フィードバックから教訓を得る可能性は飛躍的に向上します。

「メモを書く」「論文のなかで関心を惹く箇所を収集する」「この一連のメモを段落にする」といった具体的に実現可能な次のステップがあるほうが、取りかかるのはずっと楽になります。

削除した項目は、別のフォルダーによけておこう

ある日、アーネスト・ヘミングウェイは、初稿をどのくらい書き直すのかと聞かれました。

「場合によるよ。『武器よさらば』の最後の1ページは、自分が満足するまで39回も書き直したんだ」

「何か技術的な問題があったのでしょうか？　どんなことで悩んだのですか」

そう問いかけたインタビュアーに、ヘミングウェイは「ふさわしい言葉を使うことだ」と答えた、と言われています。

価値のあるアドバイスがひとつだけあるなら、最初の草稿は最初の草稿にすぎないと念頭に置いておくことです。

スラヴォイ・ジジェクはあるインタビューで[*33]、私は自分用のアイデアを書き留めているだけで、それをあとになってから出版に足る内容に直せるかもしれない、と自分自身を説得してからでないと、たったひとつの文でさえも書けないのだと語りました。書き終えるまでには、いつも、残った仕事が手持ちの下書きを直すだけになっている

ので驚いたといいます。

とりわけ難しい作業のひとつは、主張と関係ない内容を厳しい目で削除していくこと、つまり「キル・ユア・ダーリン（愛しいものを葬り去る）」です[*34]。

これは、内容との関係が疑わしい節を他の文書に移動して、あとで使うかもしれないと自分に言い聞かせると、ずっと楽になります。

私は、自分が執筆するあらゆる文書について、もうひとつ「xy-rest.doc」のような文書をつくり、削除するたびにその文書にコピーしていきます。そうすることで、あとで見直しのときにどこか適した場所に入れればよい、と自分を説得するのです。もちろん、それは絶対に起こらないのですが、それでもうまくいきます。心理学の知識を多少持ち合わせている他の人も、同じことをしています（Thaler, 2015）。

Chapter 14

何かをひらめくたびにペンをとろう

「自分が何をしているかを考える習慣を培わなければならない、というのは、あらゆる教科書や著名人の講演で繰り返されてきた、まったく誤った公理である。実際はまったく逆だ。考えることなく実行できる重要な営みの数を増やすことで、文明は進歩するのである」（Whitehead）[*35]

ペンをとることを習慣にする

私たちの行動を予測する最も信頼できる指標は――驚くべきことに――やろうとする意志です。いますぐジムに行こうと決めたから、いますぐジムに行けるのです。古い習慣をやめたり、意志の力で他のことをするのはとても難しいことです。その代わりに、古い習慣に取って代われる可能性のある新たな習慣をつくることが鍵になります。

ぜひ、何かを読むたびに紙とペンを手にとり、最も重要な事項や興味を惹かれた事項を書き留める習慣をつくりあげてください。

この最初のステップをルーチン化できれば、発見を永久保存版のメモに書き直し、ツェッテルカステンのなかにある他のメモとつなげたいという衝動を培うのはずっと簡単になります。

メモの入った外部記憶装置のなかで考えることに慣れるのはそれほど難しくありません。メリットがすぐ明らかになるからです。新しいルーチンを開発するや否や、直感的に正しいと思うでしょう。

労力は必要ありません。ほどなく、他の人が本を読みながら、ただ下線を引いたり体系的でないメモをとったりして、何の役にも立たずに終わる様子が、痛々しく見えるようになるでしょう。

［おわりに］――メモをとれば、自然にアイデアはやってくる

「賢いメモをとる」方法は、うまくいきます。成功している多くの著者、芸術家、研究者が、何らかのかたちでツェッテルカステンのようなしくみを使っています。本書も、ツェッテルカステンに助けられながら執筆しています。

ツェッテルカステンがなければ、効果的な執筆方法の研究をしているあいだにその本を意識して探すことはありえなかったでしょう。これは、ツェッテルカステンが示唆してくれた多くのアイデアとつながりのひとつにすぎません。

ツェッテルカステンが、執筆の効率アップに役立つツールであるだけでなく、長期間にわたって真剣に学ぶための訓練装置でもあることは、私にとって自明であるはずなのに、そうではありませんでした。最近の学習実験に関する賢いメモをとっていたときに初めて、最もうまくいくと証明されている方法を自分がまさに実践していると気がついたのです。ただ、私がひとりで考えつく場合も多少はあります。

本書で紹介したツェッテルカステンの手法によって、ニクラス・ルーマンは、前世紀でも指折りの生産性と革新性を誇る社会理論家になりました。学術の世界でもノンフィクション執筆の世界でも、ツェッテルカステンの注目が高まっています[*36]。

それでも、大半の人々には、いまだに受け入れが難しいようです。これにはさまざまな理由があります。まず第一に、これが、従来の定番のやり方、つまりテーマから決めるトップダウンのアプローチと対立することです。

トップダウンのアプローチが普及していることで、ツェッテルカステンの使い方が誤解され、単に入れたものを出すだけの保管庫として使われる恐れがあります。

これはもちろん、失望に終わるでしょう。情報を保存するだけなら、ツェッテルカステンを使う必要はありません。

ツェッテルカステンのメリットをフルに活用するには、なぜ、どのようにうまく機能するか、そして執筆のさまざまな手順とタスクがどのように組み合わさっているのかに関する深い理解が必要です。単なるハウツー本ではなく、ツェッテルカステンの背後にある理論やアイデアを解き明かす本を書く必要があったのはこのためです。

このテクニックがまだ普及していないもうひとつの理由は、すぐれたシステムの必要性を悟るのが、すでに執筆に苦しんでいるとき、たとえば学生なら、すでに大学卒業にさしかかって卒業論文や博士論文の執筆に苦しんでいるときだからです。

もちろん、それでも役には立ちますが、もっと早くから取り込んだほうがずっとうまくいったに違いありません。

また、ストレスを感じているときに行動を変えるのは困難です。人間は、プレッシャーを感じれば感じるほど、もともとの習慣にこだわる傾向があります。その習慣が問題やストレスの発生源になっていたとしても同じような傾向になります。これは「トンネル効果」と呼ばれています (Mullainathan and Shafir, 2013)。

しかし、この現象を徹底的に観察したムライナサンとシャヒールは、この現象から抜け出す方法も見つけました。解決方法がシンプルに見えれば、変化を起こすことはできる、というのです。

これは、最終的には大いなる朗報になります。ツェッテルカステンは、極めればとてもシンプルです。手にペンをもって読み、賢くメモをとり、メモ同士のあいだにつながりをつくります。

アイデアは自然にやってきて、文章もそこから発展します。ゼロから始める必要はありません。読む、考える、書く。どんな状況でもすべきことをやりつづけましょう。

そして、そのあいだに賢くメモをとりましょう。

日本語版へのメッセージ

ニクラス・ルーマンが考案した「ツェッテルカステン」とその使い方に関する日本での議論に貢献できる機会をいただけて、光栄に思います。私は2016年の桜の季節に日本を訪れました。それ以来、ふたたび訪日できることを心待ちにしています。

当時泊まったある旅館で、ルーマンの著書がいろいろと本棚に並んでいて驚きました。その後、日本はルーマンのアイデアが特に注目を集めているだけではなく、その理論の発展に決定的な役割を果たしている国であることを知りました(Heinze 2013)。ルーマンの業績のうち実践的な面である「メモのとり方」と、その成果を論文や著書にまとめる手法も、理論同様に日本で反響を呼ぶことを心より願っています。

2017年に本書が英語とドイツ語で初めて刊行されて以来、いろいろなことが起こりました。最も重要なのは、読者が見つかったことです。教育者がしばしば推進する一直線のトップダウンアプローチに比べ、相互につながった分散型のボトムアップアプローチであるツェッテルカステンのほうがずっと自然であることに気づいたのが私だけではないことが判明したのは、嬉しいことでした。

初刊行から4年が経ち、双方向のリンクが可能な新世代のツールが登場し、増え続けるツェッテルカステン愛好家のコミュニティが確立しました。いまや、ツェッテルカステンのアイデアは、分野、専門、言語の壁を超えて広がる文化的な一大現象となっています。この翻訳が、議論をさらに広げ、新たな意見やアイデアをもたらしてくれるために役立つことを願っています。

なお、この翻訳は、2021年に若干加筆した底本に基づいています。利用できるツールがめまぐるしく変わるなかで、本書では特定のツールに依存せず、ルーマンが考案した紙ベースのツェッテルカステンの例にこだわりました。ソフトウェアを使うとかなりの省力化が可能ですし、新しい機能で試行錯誤するのは楽しい作業です。しかし、最も大切なエッセンスを見失い、最新機能を追いかける誘惑にかられてしまうおそれがあります。書籍にはソフトウェアとは異なるライフサイクルがあるので、ツェッテルカステンの特長のうち、時代に左右されない側面に注力すべきです。それこそが、書籍の強みなのです。

Heinze, U., 2013: "System Theory as Global Sociology-Japanese Ramifications of Parsonian and Luhmannian Thought." *The American Sociologist* 44: 54–75.

［原注］

1 たとえば、トロント大学の執筆ガイドはこのような内容です。http://www.writing.utoronto.ca/advice

2 現時点では、意志力あるいは「自我消耗」に関する研究には、さまざまな説が入り乱れています。ただ、意志力でものをやり遂げようとするのが、長い目で見てまずい戦略だということなのは確かです。概要については、Inzlicht and Friese 2019, をご参照ください。

3 ルーマンの理論の入門編『Soziale Systeme』（邦訳は『社会システム理論』恒星社厚生閣、1993）は、1987年に、シリーズ番号「666」として刊行されました。メモのとり方を知らない人にしてみれば、この数字は偶然でもなんでもなく、これほどの生産性は悪魔との契約でしか説明できない、と思いたくなったに違いありません。

4 https://you.tube/qRSCKSPMuDc?t=37m30s（すべてのリンクはtakesmartnotes.comに掲載しています）

5 ルーマンのメモの裏側には、原稿の下書きだけでなく、古い請求書や子供の絵などが見つかっています。

6 あるいは、紙とペンを使うなら、単純に机の上でメモの実物をいろいろと並べ替えてみましょう。

7 この問題は、メノンの探求のパラドックスとも呼ばれています。

8 ＳＱ３Ｒは「Survey, Question, Read, Recite, Review」（調査、質問、読む、暗唱、復習）の略で、心理学教授フランシス・プレザント・ロビンソンが、第二次世界大戦の際にアメリカ陸軍向けに開発したものです（Robinson, 1978）。

9 SQ4Rは「Survey」「Question」「Read」「Reflect」「Recite」「Review」の略ですが、おそらく近いうち

にSQ5R（何の略かはともかく）にとってかわられるでしょう。

10 残念ながら、ほとんどはドイツ語で書かれています。http://www.uni-bielefeld.de/soz/luhmann-archiv/

11 Guide to Academic Writing, English and American Studies, University of Bayreuth.

12 デビッド・M・ライフとマーカス・ケンメルマイヤーは、この流れは最初は新聞で起こったことを明らかにしただけでなく（１８９２年と１９６８年の新聞を比較すると、政治家の発言の引用がほぼ半減している）、政治家に好き勝手に喋らせないという意味では、これをメディアのプロフェッショナリズム向上の一形態としても見られるのではないか、という問いを提示しました（Ryfe and Kemmelmeier, 2011）。また、クレイグ・ファーマンは、この研究の受容における皮肉を指摘しました。この研究自体がメディアによって要約して伝えられたのです（Fehrman, 2011）。

13 これは、高度な専門性を備えた外科医にさえも当てはまります（Gawande, 2002）。

14 ここでは、11 95 82 19 62 31 96 64 19 70 51 97 4 は、1. 1958 2. 1962 3. 1966 4. 1970 5. 1974 になります。

15 細かい作業をきちんと扱う重要性については、強調してもしきれません。細かい作業を外部化しておかなければ、つまらない思考にたやすく気をそらされるだけでなく、小さいにもかかわらず重要なことを定期的に忘れます。重要な問題がある場合にチェックリストがきわめて大切なのはこのためです（Gawande, 2010 を参照）。

16 これは新しい発見ではありませんが、今では神経科学者と実験心理学者の両者によって裏付けられています（Doyle and Zakrajsek 2013 ref. Tambini, A., Ketz, N., and Davachi, L. 2010）。

17 神経科学者は、これを「長期増強」という用語で呼んでいます(Bliss, Collingridge, and Morris 2004)。

18 睡眠が記憶力に寄与し、問題の解決法を発見するために役立つということには、多くの証拠があります（前者はWagner et al. 2004など、後者はWamsley et al. 2010を参照）。

19 Franklin 1840。

20 次は一例です。http://ds.ub.uni-bielefeld.de/viewer/toc/ZKL1/1/

21 Wolfe and Britt, 2008を参照。

22 彼らは、この発言が（Jang et al. 2012）からの引用だとしていますが、見つかりませんでした。いずれにしても、適切な表現だと言えるでしょう。

23 ルーマンの知己を得た何人かの感想によります。

24 インフレを考慮して約３万ドルになります。

25 Ｓ＆Ｐ５００が歴史上達成してきた７％の値上がり率を仮定し、インフレを考慮すると、約20万ドルになります。

26 『Genius: The Life And Science of Richard Feynman』（James Gleick, Pantheon Books, 1992）、P409。『ファインマンさんの愉快な人生』（ジェイムズ・グリック著、大貫昌子訳、岩波書店、１９９５年）

27 試しに、先ほど紹介したドイルとザカライセックの本の参考資料をいくつかチェックしてみましょう。それほど探さなくても、驚くべき結果になることでしょう（Doyle and Zakrajsek 2013）。

28 この判断の誤謬について知っていれば、この過ちは犯しにくくなります（Rassin 2014）。

29 http://longform.org/posts/longform-podcast-152-carol-loomis

30 ただし、メンバーに各自でブレーンストーミングをさせ、結果をあとでまとめるようにすれば、この問題は避けることができます。

31 もし納得できなければ、自分をコントロールできているという感覚があると、寿命が延びる、という事実はどうでしょう（Langer and Rodin 1976; Rodin and Langer 1977）。これは、正反対の事例とセットで理解されています。自分自身をコントロールできていないと、健康に悪影響がある、というのです（Marmot et al., 1997）。簡潔な概要については、Marmot, 2006 を参照してください。

32 世界初の、最も発達した「フェアブント」は、ドイツのルートウィスハーフェンという都市にあります。所有するのはＢＡＳＦ社。世界最大の化学メーカーで、人件費と社会保障費がかさむ先進国に位置するにもかかわらず、コンスタントに利益を上げている会社でもあります。

33 映画『Zizek!』（2005 年米国、アストラ・テイラー監督）。

34 ウィリアム・フォークナー、アレン・ギンズバーグ、オスカー・ワイルド、スティーヴン・キングなどさまざまな人物の発言として引用されていますが、１９１４年に文芸評論家のアーサー・キラークーチが学生に次のように語ったのが初出とみられます。「ここにいる君たちが実践的なルールを求めるなら、次のルールを伝授しよう。君たちが、きわめてすばらしい作品を執筆したいという衝動にかられたなら、心からその衝動に従って、草稿を出版社に送る前に消そう。恋人を殺すのだ」（Quiller-Couch, 2006）

35 Whitehead, 1911。

36 プログラム zettelkasten.de の掲示板におけるディスカッションを参照。

Mechanisms of Selective Accessibility." *Journal of Personality and Social Psychology* 73 (3): 437–46.

Sull, Donald and Eisenhardt, Kathleen M. 2015. *Simple Rules: How to Thrive in a Complex World.* Boston; New York: Houghton Mifflin Harcourt.（サルほか『SIMPLE RULES ──「仕事が速い人」はここまでシンプルに考える』三笠書房、2017年）

Swing, E. L., D. A. Gentile, C. A. Anderson, and D. A. Walsh. 2010. "Television and Video Game Exposure and the Development of Attention Problems." *PEDIATRICS* 126 (2): 214–21.

Taleb, Nassim Nicholas. 2005. *Fooled by Randomness: The Hidden Role of Chance in Life and in the Markets. 2nd ed.* New York: Random House.（タレブ『まぐれ──投資家はなぜ、運を実力と勘違いするのか』ダイヤモンド社、2008年）

Tangney, June P., Roy F. Baumeister, and Angie Luzio Boone. 2004. "High Self-Control Predicts Good Adjustment, Less Pathology, Better Grades, and Interpersonal Success." *Journal of Personality* 72(2):271–324.

Thaler, Richard H. 2015. *Misbehaving: The Making of Behavioral Economics.* W. W. Norton & Company.（セイラー『行動経済学の逆襲』早川書房、2016年）

Trollope, Anthony. 2008. *An Autobiography.* Newcastle: CSP Classic Texts.（トロロープ『自伝』開文社出版、2018年）

Tversky/Kahneman (1973)

Vartanian, Oshin. 2009. "Variable Attention Facilitates Creative Problem Solving." *Psychology of Aesthetics, Creativity, and the Arts* 3 (1): 57–59.

Wagner, Ullrich, Steffen Gais, Hilde Haider, Rolf Verleger, and Jan Born. 2004. "Sleep inspires insight." *Nature* 427 (6972): 352–55.

Wamsley, Erin J., Matthew Tucker, Jessica D. Payne, Joseph A. Benavides, and Robert Stickgold. 2010. "Dreaming of a Learning Task Is Associated with Enhanced Sleep-Dependent Memory Consolidation." *Current Biology* 20 (9): 850–55.

Wang, Zheng, and John M. Tchernev. 2012. "The 'Myth' of Media Multitasking: Reciprocal Dynamics of Media Multitasking, Personal Needs, and Gratifications." *Journal of Communication* 62 (3): 493–513.

Whitehead, A. N. (1911): *An Introduction to Mathematics.* Cambridge: Cambridge University Press.（ホワイトヘッド『数学入門』松籟社、1983年）

Wolfe, Christopher R., and M. Anne Britt. 2008. "The Locus of the Myside Bias in Written Argumentation." *Thinking & Reasoning* 14 (1): 1–27.

Zeigarnik, Bluma. 1927. "Über das Behalten erledigter und unerledigter Handlungen." *Psychologische Forschung* 9: 1–85.

Zull, James E. 2002. *The Art of Changing the Brain: Enriching the Practice of Teaching by Exploring the Biology of Learning.* Sterling, Va: Stylus Publishing.

※掲載データは原著刊行時のものです。

General Psychiatry 24 (3): 195-205.

Rothenberg, Albert. 1996. "The Janusian Process in Scientific Creativity." *Creativity Research Journal* 9 (2-3): 207-31.

Rothenberg, Albert. 2015. *Flight from wonder: an investigation of scientific creativity.* Oxford; New York: Oxford University Press.

Ryfe, David M., and Markus Kemmelmeier. 2011. "Quoting Practices, Path Dependency and the Birth of Modern Journalism." *Journalism Studies* 12 (1): 10-26.

Sachs, Helmut. 2013. *Remember Everything You Want and Manage the Rest: Improve Your Memory and Learning, Organize Your Brain, and Effectively Manage Your Knowledge.* Amazon Digital Services.

Sainsbury, Robert. 1971. "The 'Feature Positive Effect' and Simultaneous Discrimination Learning." *Journal of Experimental Child Psychology* 11 (3): 347-56.

Schacter, Daniel L. 2001. *The Seven Sins of Memory: How the Mind Forgets and Remembers.* Boston: Houghton Mifflin.

Schacter, Daniel L., Joan Y. Chiao, and Jason P. Mitchell. 2003. "The Seven Sins of Memory: Implications for Self." *Annals of the New York Academy of Sciences* 1001 (1): 226-39.

Schmeichel, Brandon J.; Vohs, Kathleen D.; Baumeister, Roy F., 2003. "Intellectual Performance and Ego Depletion: Role of the Self in Logical Reasoning and Other Information Processing." *Journal of Personality and Social Psychology* 85 (1): 33-46.

Schmidt, Johannes F.K. 2013. "Der Nachlass Niklas Luhmanns - eine erste Sichtung: Zettelkasten und Manuskripte." *Soziale Systeme* 19 (1): 167-83.

Schmidt, Johannes F.K. 2015. "*Der Zettelkasten Niklas Luhmanns als Überraschungsgenerator.*" In *Serendipity: Vom Glück des Findens*. Köln: Snoeck.

Schwartz, 2004

Schwartz, Barry. 2004. *The Paradox of Choice.* New York: HarperCollins.（シュワルツ『新装版　なぜ選ぶたびに後悔するのか——オプション過剰時代の賢い選択術』武田ランダムハウスジャパン、2012年）

Searle, John R. 1983. *Intentionality, an Essay in the Philosophy of Mind.* Cambridge; New York: Cambridge University Press.（サール『志向性——心の哲学』誠信書房、1997年）

Segar. 2015

Shapin, Steven. 1996. *The Scientific Revolution.* Chicago, IL: University of Chicago Press.（シェイピン『「科学革命」とは何だったのか——新しい歴史観の試み』白水社、1998年）

Singer, R., D. S. Downs, L. Bouchard, and D. de la Pena. 2001. "The Influence of a Process versus an Outcome Orientation on Tennis Performance and Knowledge." *Journal of Sport Behavior* 24 (2): 213-22.

Stein, Barry S., Joan Littlefield, John D. Bransford, and Martin Persampieri. 1984. "Elaboration and Knowledge Acquisition." *Memory & Cognition* 12 (5): 522-29.

Stokes, Patricia D. 2001. "Variability, Constraints, and Creativity: Shedding Light on Claude Monet." *American Psychologist* 56 (4): 355-59.

Strack, Fritz, and Thomas Mussweiler. 1997. "Explaining the Enigmatic Anchoring Effect:

Painter, James E, Brian Wansink, and Julie B. Hieggelke. 2002. "How Visibility and Convenience Influence Candy Consumption." *Appetite* 38 (3): 237–38.

Paris Review, 1956

Parkinson, Northcote C. 1957. *Parkinson's Law and Other Studies of Administration.* Cambridge - Massachusetts: The River-side Press.（パーキンソン『パーキンソンの法則』至誠堂、1961 年）

Peters, Sibylle, and Martin Jörg Schäfer. 2006. "*Intellektuelle Anschauung - unmögliche Evidenz.*" In *Intellektuelle Anschauung. Figurationen von Evidenz zwischen Kunst und Wissen*, edited by Sibylle Peters and Martin Jörg Schäfer, 9–21. Bielefeld.

Pham, Lien B., and Shelley E. Taylor. 1999. "From Thought to Action: Effects of Process-Versus Outcome-Based Mental Simulations on Performance." *Personality and Social Psychology Bulletin* 25 (2): 250–60.

Quiller-Couch, Arthur. 2006. On the Art of Writing. Mineola, NY: Dover Publications.

Rassin, Eric G. C. 2014. "Reducing the Feature-Positive Effect by Alerting People to Its Existence." *Learning & Behavior* 42 (4): 313–17.

Ratey, John J, and Eric Hagerman. 2008. *Spark: The Revolutionary New Science of Exercise and the Brain.* New York: Little, Brown & Company.（レイティほか『脳を鍛えるには運動しかない！──最新科学でわかった脳細胞の増やし方』NHK 出版、2009 年）

Reeve, Johnmarshall. 2009. "Why Teachers Adopt a Controlling Motivating Style Toward Students and How They Can Become More Autonomy Supportive." *Educational Psychologist* 44 (3): 159–75.

Reeve, Johnmarshall, and Hyungshim Jang. 2006. "What Teachers Say and Do to Support Students' Autonomy during a Learning Activity." *Journal of Educational Psychology* 98 (1): 209–18.

Rheinberger, Hans-Jörg. 1997. *Toward a History of Epistemic Things: Synthesizing Proteins in the Test Tube.* Stanford, Calif: Stanford University Press.

Rickheit, Gert, and L. Sichelschmidt. 1999. "Mental Models: Some Answers, Some Questions, Some Suggestions." In *Mental Models in Discourse Processing and Reasoning*, edited by Gert Rickheit and Christopher Habel, 6–40. Cambridge, MA: Elsevier.

Rivard, Lé Onard P. 1994. "A Review of Writing to Learn in Science: Implications for Practice and Research." *Journal of Research in Science Teaching* 31 (9): 969–83.

Robinson, Francis Pleasant. 1978. Effective Study. 6th ed. New York: Harper & Row.

Rodin, Judith, and Ellen J. Langer. 1977. "Long-term Effects of a Control-Relevant Intervention with the Institutionalized Aged." *Journal of Personality and Social Psychology* 35 (12): 897–902.

Roediger, Henry L., and Jeffrey D. Karpicke. 2006. "The Power of Testing Memory: Basic Research and Implications for Educational Practice." *Perspectives on Psychological Science* 1 (3): 181–210.

Rosen, Christine. 2008. "The Myth of Multitasking." *The New Atlantis* Spring (20): 105–10.

Rothenberg, Albert. 1971. "The Process of Janusian Thinking in Creativity." *Archives of*

Mata, J., Todd, P. M., Lippke, S. 2010. "When Weight Management Lasts. Lower Perceived Rule Complexity Increases Adherence." *Appetite*, 54(1), 37-43.

McDaniel, Mark A., and Carol M. Donnelly. 1996. "Learning with Analogy and Elaborative Interrogation." *Journal of Educational Psychology* 88 (3): 508-19.

McMath, Robert M., and Thom Forbes. 1999. *What Were They Thinking?* New York: Crown Business.(マックマス『80,000 点に学ぶ新製品開発マーケティング』東急エージェンシー出版部、2002 年)

Miller, George A. 1956. "The magical number seven, plus or minus two: some limits on our capacity for processing information." *Psychological Review* 63 (2): 81-97.

Moller, A. C.,Deci. E. L., Ryan. R. M. 2006. "Choice and Ego-Depletion: The Moderating Role of Autonomy." *Personality and Social Psychology Bulletin* 32 (8): 1024-36.

Mueller, P. A., and D. M. Oppenheimer. 2014. "The Pen Is Mightier Than the Keyboard: Advantages of Longhand Over Laptop Note Taking." *Psychological Science* 25 (6): 1159-68.

Mullainathan, Sendhil, and Eldar Shafir. 2013. *Scarcity: Why Having Too Little Means So Much*. London: Penguin UK. (ムッライナタンほか『いつも「時間がない」あなたに——欠乏の行動経済学』早川書房、2017 年)

Mullen, Brian, Craig Johnson, and Eduardo Salas. 1991. "Productivity Loss in Brainstorming Groups: A Meta-Analytic Integration." *Basic and Applied Social Psychology* 12 (1): 3-23.

Munger, Charles. 1994. "*A Lesson on Elementary, Worldly Wisdom as it Relates to Investment Management & Business.*" USC Business School で行われたスピーチ

Muraven, Mark, Dianne M. Tice, and Roy F. Baumeister. 1998. "Self-Control as a Limited Resource: Regulatory Depletion Patterns." *Journal of Personality and Social Psychology* 74 (3): 774-89.

Nassehi, Armin. 2015. *Die letzte Stunde der Wahrheit. Warum rechts und links keine Alternativen mehr sind und Gesellschaft ganz anders beschrieben werden muss.* Hamburg: Murmann.

Neal, David T., Wendy Wood, Jennifer S. Labrecque, and Phillippa Lally. 2012. "How Do Habits Guide Behavior? Perceived and Actual Triggers of Habits in Daily Life." *Journal of Experimental Social Psychology* 48 (2): 492-98.

Newman, Joseph, William T. Wolff and Eliot T. Hearst. 1980. "The Feature-Positive Effect in Adult Human Subjects." *Journal of Experimental Psychology. Human Learning and Memory* 6 (5): 630-50.

Nickerson, Raymond S. 1998. "Confirmation Bias: A Ubiquitous Phenomenon in Many Guises." *Review of General Psychology* 2 (2): 175-220.

Ophir, Eyal, Clifford Nass, and Anthony D. Wagner. 2009. "Cognitive Control in Media Multitaskers." *Proceedings of the National Academy of Sciences* 106 (37): 15583-87.

Oppenheimer, Daniel M. 2006. "Consequences of Erudite Vernacular Utilized Irrespective of Necessity: Problems with Using Long Words Needlessly." *Applied Cognitive Psychology* 20 (2): 139-56.

Election News." *The International Journal of Press/Politics* 6 (3): 8-30.

Loewenstein, Jeffrey. 2010. How One's Hook Is Baited Matters for Catching an Analogy. In B. H. Ross (Ed.), The Psychology of Learning and Motivation: Advances in Research and Theory, 149-182. Amsterdam: Academic Press.

Lonka, Kirsti. 2003. "Helping Doctoral Students to Finish Their Theses." In *Teaching Academic Writing in European Higher Education*, edited by Lennart Björk, Gerd Bräuer, Lotte Rienecker, and Peter Stray Jörgensen, 113-31. Studies in Writing 12. Springer Netherlands.

Luhmann, Niklas. 1992. "Kommunikation mit Zettelkästen. Ein Erfahrungsbericht." In Universität als Milieu. Kleine Schriften., edited by André Kieserling, 53-61. Bielefeld: Haux.

Luhmann, Niklas. 1997. *Die Gesellschaft der Gesellschaft*. Frankfurt am Main: Suhrkamp.（ルーマン『社会の社会 1』法政大学出版局、2009 年、同『社会の社会 2〈新装版〉』法政大学出版局、2017 年）

Luhmann, Niklas. 2000. "Lesen Lernen." In Short Cuts, 150-57. Frankfurt am Main: Zweitausendeins.

Luhmann, Niklas. 2005. *Einführung in die Theorie der Gesellschaft*. Heidelberg: Carl Auer.（ルーマン『社会理論入門』新泉社、2009 年）

Luhmann, Niklas, Dirk Baecker, and Georg Stanitzek. 1987. Archimedes und wir: Interviews. Berlin: Merve.（ルーマン『ルーマン、学問と自身を語る』新泉社、1996 年）

Lurija, Aleksandr Romanovich. 1987. The Mind of a Mnemonist: A Little Book about a Vast Memory. Cambridge MA: Harvard University Press.（ルリヤ『偉大な記憶力の物語——ある記憶術者の精神生活』岩波書店、2010 年）

MacLeod, Colin M. 2007. "The Concept of Inhibition in Cognition." *Inhibition in Cognition*, edited by David S. Gorfein and Colin M. MacLeod, 3-23. Washington: American Psychological Association.

Mangel, Marc, and Francisco J. Samaniego. 1984. "Abraham Wald's Work on Aircraft Survivability." *Journal of the American Statistical Association* 79 (386): 259-67.

Manktelow, K. I., and Kenneth J. W Craik, (Ed.). 2004. "The History of Mental Models." In *Psychology of Reasoning: Theoretical and Historical Perspectives*, 179-212. New York: Psychology Press.

Markman, K. D., M. J. Lindberg, L. J. Kray, and A. D. Galinsky. 2007. "Implications of Counterfactual Structure for Creative Generation and Analytical Problem Solving." *Personality and Social Psychology Bulletin* 33 (3): 312-24.

Marmot, M. G., H. Bosma, H. Hemingway, E. Brunner, and S. Stansfeld. 1997. "Contribution of Job Control and Other Risk Factors to Social Variations in Coronary Heart Disease Incidence." *Lancet* 350 (9073): 235-39.

Marmot, Michael G. 2006. "Status Syndrome: A Challenge to Medicine." *JAMA* 295 (11): 1304-7.

Maslow, Abraham H. 1966. *The Psychology of Science: A Reconnaissance*. Chapel Hill, NC: Maurice Bassett.（マスロー『可能性の心理学』川島書店、1971 年）

Jang, Yoonhee, John T. Wixted, Diane Pecher, René Zeelenberg, and David E. Huber. 2012. "Decomposing the Interaction Between Retention Interval and Study/Test Practice: The Role of Retrievability." *The Quarterly Journal of Experimental Psychology* 65 (5): 962–75.

Ji, Mindy F., and Wendy Wood. 2007. "Purchase and Consumption Habits: Not Necessarily What You Intend." *Journal of Consumer Psychology* 17 (4): 261–76.

Job, V., C. S. Dweck, and G. M. Walton. 2010. "Ego Depletion – Is It All in Your Head? Implicit Theories About Willpower Affect Self-Regulation." *Psychological Science* 21 (11): 1686–93.

Johnson, Steven. 2011. *Where Good Ideas Come from: The Natural History of Innovation.* 1. paperback ed. New York: Riverhead Books.（ジョンソン『イノベーションのアイデアを生み出す七つの法則』日経 BP、2013 年）

Kahneman, Daniel. 2013. *Thinking, Fast and Slow.* Reprint edition. New York: Farrar, Straus and Giroux.（カーネマン『ファスト&スロー――あなたの意思はどのように決まるか？』早川書房、2014 年）

Kant, Immanuel. 1784. *What is Enlightenment?* Translated by Mary C. Smith. 1991. http://www.columbia.edu/acis/ets/CCREAD/etscc/kant.html.（カント『永遠平和のために／啓蒙とは何か　他３篇』光文社、2006 年）

Karpicke, Jeffrey D., Andrew C. Butler, and Henry L. Roediger III. 2009. "Metacognitive Strategies in Student Learning: Do Students Practise Retrieval When They Study on Their Own?" *Memory* 17 (4): 471–79.

Kornell, Nate, and Robert A. Bjork. 2008. "Learning Concepts and Categories: Is Spacing the 'Enemy of Induction'?" *Psychological Science* 19 (6): 585–92.

Kruger, Justin, and David Dunning. 1999. 'Unskilled and Unaware of It: How Difficulties in Recognizing One's Own Incompetence Lead to Inflated Self-Assessments.' *Journal of Personality and Social Psychology* 77 (6): 1121–34.

Kruse, Otto. 2005. Keine Angst vor dem leeren Blatt: ohne Schreibblockaden durchs Studium. Frankfurt/Main: Campus.

Langer, E. J., and J. Rodin. 1976. "The Effects of Choice and Enhanced Personal Responsibility for the Aged: A Field Experiment in an Institutional Setting." *Journal of Personality and Social Psychology* 34 (2): 191–98.

Latour, Bruno, and Steve Woolgar. 1979. Laboratory Life: The Social Construction of Scientific Facts. Beverly Hills: Sage Publications.

Levin, Mary E., and Joel R. Levin. 1990. "Scientific Mnemonomies: Methods for Maximizing More Than Memory." *American Educational Research Journal* 27 (2): 301–21.

Levinson, Marc. 2006. *The Box: How the Shipping Container Made the World Smaller and the World Economy Bigger.* Princeton, N.J: Princeton University Press.（レビンソン『コンテナ物語――世界を変えたのは「箱」の発明だった　増補改訂版』日経 BP、2019 年）

Levy, Neil. 2011. "Neuroethics and the Extended Mind." In Judy Illes and B. J. Sahakian (Ed.), *Oxford Handbook of Neuroethics*, 285–94, Oxford University Press.

Lichter, S. Robert. 2001. "A Plague on Both Parties: Substance and Fairness in TV

Gawande, Atul. 2002. *Complications: A Surgeon's Notes on an Imperfect Science.* New York: Metropolitan Books.（ガワンデ『予期せぬ瞬間——医療の不完全さは乗り越えられるか』みすず書房、2017 年）

Gawande, Atul. 2010. *The Checklist Manifesto: How to Get Things Right.* New York: Metropolitan Books.（ガワンデ『アナタはなぜチェックリストを使わないのか？——重大な局面で“正しい決断”をする方法』晋遊舎、2011 年）

Getzels, Jacob Warren, and Mihaly Csikszentmihalyi. 1976. *The Creative Vision: A Longitudinal Study of Problem Finding in Art.* New York: Wiley.

Gigerenzer, Gerd. 2008a. *Gut Feelings: The Intelligence of the Unconscious.* New York: Viking Penguin.（ギーゲレンツァー『なぜ直感のほうが上手くいくのか？——「無意識の知性」が決めている』インターシフト、2010 年）

Gigerenzer, Gerd 2008b. *Gut Feeling: Short Cuts to Better Decision Making.* NewYork: Viking Penguin

Gilbert, Daniel Todd. 2006. Stumbling on Happiness. New York: A.A. Knopf.（ギルバート『明日の幸せを科学する』早川書房、2013 年）

Glynn, Shawn M., Gita Taasoobshirazi, and Peggy Brickman. 2009. “Science Motivation Questionnaire: Construct Validation with Nonscience Majors.” *Journal of Research in Science Teaching* 46 (2): 127–46.

Goldstone, Robert L., and Uri Wilensky. 2008. “Promoting Transfer by Grounding Complex Systems Principles.” *Journal of the Learning Sciences* 17 (4): 465–516.

Govorun, Olesya, and B. Keith Payne. 2006. ‘Ego-depletion and Prejudice: Separating Automatic and Controlled Components.’ *Social Cognition* 24 (2): 111–136.

Granovetter, Mark S. 1973. “The Strength of Weak Ties.” *American Journal of Sociology* 78 (6): 1360–80.

Gunel, Murat, Brian Hand, and Vaughan Prain. 2007. “Writing for Learning in Science: A Secondary Analysis of Six Studies.” *International Journal of Science and Mathematics Education* 5 (4): 615–37.

Hagen, Wolfgang. 1997. Die Realität der Massenmedien. Radio Bremen im Gespräch mit Niklas Luhmann. http://www.whagen.de/gespraeche/LuhmannMassenmedien.htm

Hallin, Daniel C. 1994. *We Keep America on Top of the World: Television Journalism and the Public Sphere.* London; New York: Routledge.

Hearn, Marsha Davis, Tom Baranowski, Janice Baranowski, Colleen Doyle, Matthew Smith, Lillian S. Lin, and Ken Resnicow. 1998. “Environmental Influences on Dietary Behavior among Children: Availability and Accessibility of Fruits and Vegetables Enable Consumption.” *Journal of Health Education* 29 (1): 26–32.

Hollier, Denis. 2005. “Notes (on the Index Card).” October 112 (April): 35–44.

Inzlicht, M., L. McKay, and J. Aronson. 2006. “Stigma as Ego Depletion: How Being the Target of Prejudice Affects Self-Control.” *Psychological Science* 17 (3): 262–69.

Inzlicht, Michael, and Malte Friese. 2019. “The Past, Present, and Future of Ego Depletion.” *Social Psychology* 50 (5–6): 370–78.

James, William. 1890. The Principles of Psychology. New York: H. Holt and Company.

939–44.

Dunlosky, John, Katherine A. Rawson, Elizabeth J. Marsh, Mitchell J. Nathan, and Daniel T. Willingham. 2013. "Improving Students' Learning With Effective Learning Techniques Promising Directions From Cognitive and Education-al Psychology." *Psychological Science in the Public Interest* 14 (1): 4–58.

Dweck, Carol S. 2006. *Mindset: The New Psychology of Success*. New York: Random House.（ドゥエック『マインドセット――「やればできる！」の研究』草思社、2016 年）

Dweck, Carol S. 2013. *Self-Theories: Their Role in Motivation, Personality, and Development*. New York: Psychology Press.

Ebbinghaus, Hermann. (1885). *Über das Gedächtnis: Untersuchungen zur experimentellen Psychologie*. Berlin: Duncker & Humblot.（エビングハウス『記憶について――実験心理学への貢献』誠信書房、1978 年）

Engber, Daniel, and Christina Cauterucci. 2016. "Everything Is Crumbling." Slate, March 6.

Ericsson, K. Anders, Ralf T. Krampe, and Clemens Tesch-Römer. 1993. "The Role of Deliberate Practice in the Acquisition of Expert Performance." *Psychological Review* 100 (3): 363–406.

Ericsson, K. Anders. 2008. "Deliberate Practice and Acquisition of Expert Performance: A General Overview." *Academic Emergency Medicine* 15 (11): 988–94.

Fehrman, Craig. 2011. "The Incredible Shrinking Sound Bite." Boston.com, January 2.

Feynman, Richard P. 1963. "The Problem of Teaching Physics in Latin America." http://calteches.library.caltech.edu/46/2/LatinAmerica.htm

Feynman, Richard P. 1963. 1985. "*Surely You're Joking, Mr. Feynman!*": *Adventures of a Curious Character*. New York: W.W. Norton.（ファインマン『ご冗談でしょう、ファインマンさん』岩波書店、2000 年）

Fishbach, Ayelet, Tal Eyal, and Stacey R. Finkelstein. 2010. "How Positive and Negative Feedback Motivate Goal Pursuit." Feedback Motivates Goal Pursuit. *Social and Personality Psychology Compass*, 4(8), 517–530.

Fleck, Ludwik. 1979. *Genesis and Development of a Scientific Fact*, edited by T.J. Trenn and R.K. Merton, foreword by Thomas Kuhn. Chicago: University of Chicago Press.

Flyvbjerg, Bent. 2001. *Making Social Science Matter: Why Social Inquiry Fails and How It Can Succeed Again*. Oxford, UK; New York: Cambridge University Press.

Franklin, Benjamin. 1840. *Memoirs of Benjamin Franklin*. Edited by William Duane. McCarty & Davis.（フランクリン『フランクリン自伝』土曜社、2015 年）

Fritzsche, Barbara A., Beth Rapp Young, and Kara C. Hickson. 2003. "Individual Differences in Academic Procrastination Tendency and Writing Success." *Personality and Individual Differences* 35 (7): 1549–57.

Gadamer, Hans-Georg. 2004. *Truth and Method*. 2nd rev. edition. Trans. J. Weinsheimer and D. G. Marshall. New York: Crossroad.（ガダマー『真理と方法 I〈新装版〉』法政大学出版局、2012 年、同『真理と方法 II〈新装版〉』法政大学出版局、2015 年、同『真理と方法 III』法政大学出版局、2012 年）

Buehler, Roger, Dale Griffin, and Michael Ross. 1995. "It's About Time: Optimistic Predictions in Work and Love." *European Review of Social Psychology* 6 (1): 1–32.

Burkeman, Oliver. 2013. *The Antidote: Happiness for People Who Can't Stand Positive Thinking*. Edinburgh: Canongate Books.（バークマン『解毒剤――ポジティブ思考を妄信するあなたの「脳」へ』東邦出版、2015 年）

Byrne, John H. 2008. *Learning and Memory: A Comprehensive Reference*, Four-Volume Set. Cambridge, MA: Academic Press.

Carey, Benedict. 2014. *How We Learn: The Surprising Truth About When, Where, and Why It Happens.* New York: Random House.（キャリー『脳が認める勉強法――「学習の科学」が明かす驚きの真実！』ダイヤモンド社、2015 年）

Carter, Evan C., and Michael E. McCullough. 2014. "Publication Bias and the Limited Strength Model of Self-Control: Has the Evidence for Ego Depletion Been Overestimated?" *Frontiers in Psychology* 5 (July).

Clance, Pauline R., and Suzanne A. Imes. 1978. "The Imposter Phenomenon in High Achieving Women: Dynamics and Therapeutic Intervention." *Psychotherapy: Theory, Research & Practice* 15 (3): 241–47.

Clark, Charles H. 1958. *Brainstorming: The Dynamic New Way to Create Successful Ideas.* Garden City, NY: Doubleday & Company.（クラーク『アイデア開発法――ブレインストーミングの原理と応用』ダイヤモンド社、1961、1982 年）

Cowan, N. 2001. "The Magical Number 4 in Short-Term Memory: A Reconsideration of Mental Storage Capacity." *The Behavioral and Brain Sciences* 24 (1): 87-114.

Csikszentmihalyi, Mihaly. 1975. *Beyond Boredom and Anxiety*. San Francisco: Jossey-Bass.（チクセントミハイ『楽しみの社会学』新思索社、2001 年）

Currey, Mason. 2013. *Daily Rituals: How Great Minds Make Time, Find Inspiration, and Get to Work*. Pan Macmillan.（カリー『天才たちの日課――クリエイティブな人々の必ずしもクリエイティブでない日々』フィルムアート社、2014 年）

Darwin, Charles. 1958. *The Autobiography of Charles Darwin, 1809-1882: With Original Omissions Restored*. Collins.（ダーウィン『ダーウィン自伝』筑摩書房、2000 年）

Dean, Jeremy. 2013. *Making Habits, Breaking Habits: Why We Do Things, Why We Don't, and How to Make Any Change Stick*. Boston, MA: Da Capo Press.（ディーン『良い習慣、悪い習慣――世界 No. 1の心理学ブロガーが明かすあなたの行動を変えるための方法』東洋経済新報社、2014 年）

De Bono, Edward. 1998. *Simplicity*. London; New York: Viking.

DePasque, Samantha, and Elizabeth Tricomi. 2015. "Effects of Intrinsic Motivation on Feedback Processing During Learning." *NeuroImage* 119 (October): 175–86.

Doyle, Terry. 2008. *Helping Students Learn in a Learner-Centered Environment: A Guide to Facilitating Learning in Higher Education*. Sterling, Virginia: Stylus Publishing.

Doyle, Terry, and Todd Zakrajsek. 2013. *The New Science of Learning: How to Learn in Harmony With Your Brain.* Sterling, Virginia: Stylus Publishing.

Duckworth, Angela L., and Martin E. P. Seligman. 2005. "Self-Discipline Outdoes IQ in Predicting Academic Performance of Adolescents." *Psychological Science* 16 (12):

[参考文献]

Ahrens, Sönke. 2014. *Experiment and Exploration: Forms of World-Disclosure: From Epistemology to Bildung*. Contemporary Philosophies and Theories in Education, volume 6. Dordrecht: Springer.

Allison, Scott T., and David M. Messick. 1988. “The Feature-Positive Effect, Attitude Strength, and Degree of Perceived Consensus.” *Personality and Social Psychology Bulletin* 14 (2): 231–41.

Andreasen, Nancy C. 2014. “Secrets of the Creative Brain.” The Atlantic, August.

Arnold, Kathleen M., and Kathleen B. McDermott. 2013. “Test-Potentiated Learning: Distinguishing between Direct and Indirect Effects of Tests.” *Journal of Experimental Psychology: Learning, Memory, and Cognition* 39 (3): 940–45.

Balduf, Megan. 2009. “Underachievement Among College Students.” *Journal of Advanced Academics* 20 (2): 274–94.

Baram, T., Y. Chen, C. Burgdorff, and C. Dubé. 2008. “Short-term Stress Can Affect Learning And Memory.” *ScienceDaily*.

Baumeister, R. F., E. Bratslavsky, M. Muraven, and D. M. Tice. 1998. “Ego Depletion: Is the Active Self a Limited Resource?” *Journal of Personality and Social Psychology* 74 (5): 1252–65.

Birnbaum, Monica S., Nate Kornell, Elizabeth Ligon Bjork, and Robert A. Bjork. 2013. “Why Interleaving Enhances Inductive Learning: The Roles of Discrimination and Retrieval.” *Memory & Cognition* 41 (3): 392–402.

Bjork, Robert A. 2011. “On the Symbiosis of Remembering, Forgetting and Learning.” In *Successful Remembering and Successful Forgetting: a Festschrift in Honor of Robert A. Bjork*, edited by Aaron S. Benjamin, 1–22. New York, NY: Psychology Press.

Bliss, T. V. P., G. L. Collingridge, and R. G. M. Morris, Hrsg. 2004. *Long-term Potentiation: Enhancing Neuroscience for 30 Years.* Oxford ; New York: Oxford University Press.

Bornstein, Robert F. 1989. “Exposure and Affect: Overview and Meta-Analysis of Research, 1968-1987.” *Psychological Bulletin* 106 (2): 265–89.

Brems, Christiane, Michael R. Baldwin, Lisa Davis, and Lorraine Namyniuk. 1994. “The Imposter Syndrome as Related to Teaching Evaluations and Advising Relationships of University Faculty Members.” *The Journal of Higher Education* 65 (2): 183-193.

Brown, Peter C., Henry L. Roediger III, and Mark A. McDaniel 2014. *Make It Stick*. Cambridge, MA: Harvard University Press.（ブラウンほか『使える脳の鍛え方——成功する学習の科学』NTT 出版、2016 年）

Bruner, Jerome S. 1973. *Beyond the Information Given: Studies in the Psychology of Knowing*. Edited by Jeremy M. Anglin. New York: W.W. Norton & Company.（ブルーナー『認識の心理学——与えられる情報をのりこえる』明治図書出版、1978 年）

Bruya, Brian, Hrsg. 2010. Effortless Attention: A New Perspective in the Cognitive Science of Attention and Action. Cambridge, Mass: The MIT Press.

Buehler, Roger, Dale Griffin, and Michael Ross. 1994. “Exploring The ‘Planning Fallacy’: Why People Underestimate Their Task Completion Times.” *Journal of Personality and Social Psychology* 67 (3): 366–81.

Sönke Ahrens（ズンク・アーレンス）

教育・社会科学分野の作家・研究者であり、現在はドイツのデュースブルク・エッセン大学暫定教授。また、執筆やコーチング、講演も行う。バンコクに住み、２年ほどアジアを旅する。

メモをとることで、読書や思考をより楽しんでおり、その結果をさまざまな出版物にしている。著作に『Experiment and Exploration:Forms of World-Disclosure』(Springer) がある。

二木夢子（フタキ・ユメコ）

国際基督教大学教養学部社会科学科卒。ソフトハウス、産業翻訳会社勤務を経て独立。訳書に『OKR――シリコンバレー式で大胆な目標を達成する方法』（日経 BP)、『Creative Selection――Apple　創造を生む力』（サンマーク出版)、『オリンピック全史』（共訳、原書房)、『EMPOWERED――普通のチームが並外れた製品を生み出すプロダクトリーダーシップ』（日本能率協会マネジメントセンター）がある。

TAKE NOTES！

メモで、あなただけのアウトプットが自然にできるようになる

2021 年 10 月 18 日　第1版第1刷発行
2021 年 11 月 15 日　第1版第3刷発行

著者	ズンク・アーレンス
訳者	二木 夢子
翻訳協力	リベル
発行者	村上 広樹
発行	日経 BP
発売	日経 BP マーケティング
	〒105-8308　東京都港区虎ノ門 4-3-12
	https://www.nikkeibp.co.jp/books/
ブックデザイン	加藤 京子（sidekick）
校正	加藤 義廣（小柳商店）
編集	中野 亜海
本文 DTP	フォレスト
印刷・製本	中央精版印刷

本書籍に関するお問い合わせ、ご連絡は下記にて承ります。
https://nkbp.jp/booksQA
ISBN 978-4-296-00041-8 Printed in Japan